ENTRAÎNEZ-VOUS

GRAMMAIRE

Exercices niveau intermédiaire

Catherine BARNOUD   Évelyne SIREJOLS

CLE
international

D1384834

Édition : Françoise Lepage
Composition et maquette : Joseph Dorly

© CLE international, 1992 – ISBN 2-19-033841-7

SOMMAIRE

Avant-propos

Ce cahier s'adresse à un **public de niveau intermédiaire** en français; il a pour objectif **le réemploi et l'ancrage de structures grammaticales** préalablement étudiées : les exercices proposés doivent permettre à l'apprenant de fixer ses acquisitions par le maniement des formes syntaxiques. Complément des méthodes, il offre un véritable entraînement grammatical.

Les quinze chapitres de cet ouvrage, introduits par un proverbe ou un dicton, couvrent les faits de langue les plus fréquemment étudiés à ce niveau d'apprentissage, avec une organisation semblable à celle des méthodes actuelles qui mettent en relation besoins langagiers de la communication quotidienne et progression grammaticale.

Conçus pour des étudiants de 2e et 3e année, les exercices sont **faciles d'accès**; les énoncés sont brefs, sans pour autant être éloignés des réalisations langagières authentiques.

Les exercices sont présentés de **façon claire**, accompagnés d'exemples, évitant ainsi l'introduction d'un métalangage avec lequel l'apprenant est peu familiarisé. Les exercices sont généralement composés de dix phrases, ce qui simplifie dans une classe l'évaluation des connaissances.

Chaque aspect grammatical est présenté à travers une **variété d'exercices** à difficulté progressive; **leur typologie est connue des apprenants** : exercices à trous, exercices à choix multiple, exercices de transformation et de mise en relation.

Un bilan, plus souple dans sa présentation que les exercices, termine chaque thème, mettant en scène les différents aspects grammaticaux étudiés dans le chapitre. Il permet d'évaluer le degré d'acquisition de la difficulté grammaticale abordée et, si nécessaire, de retravailler les points encore mal acquis.

La conception pédagogique de chaque activité veut amener l'apprenant **à réfléchir sur chaque énoncé**, tant du point de vue syntaxique que du point de vue sémantique. Les exercices dont les réponses sont nécessairement dirigées n'impliquent pas pour autant un travail automatique sans réflexion sur les faits de langue étudiés.

Quant aux temps des verbes, dont la maîtrise est souvent difficile, ce n'est pas seulement leur formation qui importe mais aussi leur **emploi** et leur **valeur**.

Afin de faciliter **l'entraînement des apprenants autonomes**, chaque exercice trouve sa correction, ou les différentes formes acceptables, dans la partie *Corrigés*, à la fin de l'ouvrage.

L'index devrait également faciliter l'utilisation de ce cahier; grâce aux multiples renvois à l'intérieur des chapitres, il permet d'avoir accès à une difficulté grammaticale particulière ne figurant pas dans le sommaire.

Ce cahier devrait ainsi apporter à l'étudiant une plus grande maîtrise de la langue en lui donnant l'occasion d'affiner sa compétence linguistique… et par là même sa compétence de communication en français.

I. LES RELATIFS

CHIEN QUI ABOIE NE MORD PAS.

A. *Qui, que, où, dont*

1 **Transformez les phrases d'après le modèle.**

✓ Exemple : Ce n'est pas la personne *dont* on parle.
  ▸ On ne parle pas *de* cette personne.

a. C'est la moto dont il rêve. ....

b. C'est un problème dont nous ne discutons jamais. ....

c. C'est l'animateur de radio dont elle adore la voix. ....

d. C'est un sujet dont ils évitent de parler. ....

e. C'est un tableau dont mon père est très fier. ....

f. C'est une ville dont il ne reste plus rien. ....

g. C'est la montre dont j'ai cassé le bracelet. ....

h. C'est un film dont tu te souviens ? ....

i. C'est un ami dont le frère vit à Bilbao. ....

j. C'est l'instrument dont vous jouez le mieux. ....

2 **Reliez les phrases en utilisant *dont*.**

✓ Exemple : C'est un nouveau médicament. On ignore ses effets.
  ▸ C'est un nouveau médicament *dont* on ignore *les* effets.

a. Elle s'est acheté la maison bleue. Elle en rêvait ! ....

b. C'est un sérieux problème. Tu en as déjà parlé. ....

c. Tu as vu la petite brune ? Il est amoureux d'elle. ....

d. C'est un professeur de littérature comparée. J'ai oublié son nom. ....

e. Eva m'a enfin donné l'argent. J'en avais besoin ! ....

f. Tu connais Francisco ? Sa mère est chilienne. ....

g. C'est un jeune peintre. Ses tableaux ont beaucoup de succès. ....

h. J'ai rencontré la nouvelle secrétaire. On dit beaucoup de bien d'elle. ......

i. Tu as remarqué cette maison ? Les volets sont toujours fermés. ....

j. Ma grand-mère parle toujours de ce voyage. Elle s'en souvient encore. ....

3 **Complétez les phrases avec** que (qu'), qui, dont, où.

✓ Exemple : Je n'ai pas oublié l'histoire **qu'**il m'a racontée.

a. Elle est arrivée avec son copain............ a une moto.

b. Tu n'aimes pas la soupe............ maman t'a préparée ?

c. C'est une situation............ ils se plaignent souvent.

d. L'Italie est un pays............ j'aimerais vivre.

e. Voici les livres............ Pauline m'a conseillé la lecture.

f. C'est toi............ lui as dit !

g. J'ai rencontré la jeune fille............ vous connaissez les parents.

h. Tu as trouvé cette photo............ je croyais perdue !

i. C'est le restaurant............ il a l'habitude de déjeuner.

j. Voilà le dictionnaire............ j'ai besoin.

4 **Reliez les phrases suivantes en utilisant** qui, que, dont, où.

✓ Exemple : Il a acheté une voiture ; elle consomme beaucoup d'essence.
 ▶ Il a acheté une voiture **qui** consomme beaucoup d'essence.

a. Dominique est amoureuse d'un homme ; elle ne sait rien de cet homme. ....

b. Je vais passer mes vacances dans une villa ; je l'ai louée pour un mois. ....

c. On a retrouvé nos amis ; on les avait perdus de vue depuis cinq ans. ....

d. Tu as revu ce journaliste ? Il t'avait interviewé. ....

e. Michèle et Anne passent leurs vacances en Espagne ; elles y ont beaucoup d'amis. ......

f. Tu peux me donner l'adresse d'un restaurant ; tu y vas souvent. ....

g. François a trouvé un nouvel appartement ; il est situé près de la Bastille. ....

h. Avez-vous vu ce film ? Il est passé hier soir à la télé. ....

i. Sophie n'a pas apprécié l'humour de ce copain. Tu lui en avais beaucoup parlé. ....

j. Avez-vous son numéro de téléphone ? Je peux joindre mon père à ce numéro. ....

11 *Qui, que, où, dont ?* **Complétez le dialogue.**

✓ Exemple : C'est moi **qui** suis chargé de l'enquête.

– Que faisiez-vous le 15 au soir, à 20 heures ?

– J'étais au cinéma. Une salle .... est près du quartier Latin.

– Quel cinéma ?

– Un cinéma .... l'on jouait *Qui chante là-bas*, un film .... on a peu parlé dans la presse.

– Mais j'ai rencontré un témoin .... vous a vu sur les Champs-Élysées.

– Ce n'est pas un quartier .... j'ai l'habitude d'aller. Il y a erreur !

– Non, la personne .... nous avons recueilli le témoignage a reconnu la voiture .... vous conduisiez et l'homme .... était avec vous.

– C'est impossible ! La personne .... était avec moi était une femme, une amie .... je peux vous donner les coordonnées si vous voulez.

6 **Mettez les verbes entre parenthèses au passé composé.**

✓ Exemples: C'est une amie qui *a réussi* (réussir) le concours.
C'est une amie que nous *avons rencontrée* (rencontrer) en Corse.

a. Tu as vu les pulls qu'elle .... (tricoter)?

b. C'est elle qui .... (commencer)!

c. Où sont les fruits que tu .... (acheter)?

d. Voilà la personne qui .... (emprunter) ton parapluie.

e. Tu as goûté la tarte qu'il .... (faire)?

f. Les huîtres que nous .... (manger) chez toi étaient délicieuses.

g. Ce sont des touristes qui .... (trouver) ces fossiles.

h. Vous ne voulez pas des champignons qu'elles .... (cueillir)?

i. J'ai une cousine qui .... (vivre) en Australie.

j. Je te parle de mes grands-parents qui .... (connaître) l'Orient-Express.

7 **Imaginez la suite.**

✓ Exemple: J'ai oublié les lunettes que *tu m'as prêtées hier*.

a. Il m'a dit des choses que...

b. Donne-moi cet appareil qui...

c. C'est un endroit où ....

d. Nous avons acheté un jeu dont...

e. Philippe a des amis qui...

f. Je l'ai rencontré un jour où ....

g. C'est la société dont ....

h. Gérard Depardieu est un acteur dont ....

i. Béatrice est une personne que ....

j. C'est une exposition dont ....

B. À qui, pour qui, ce qui, ce que...

8 **Complétez les phrases suivantes avec** *qui, à qui, avec qui,*
pour qui, sur qui, de qui.

✓ Exemple: Je ne sais pas *à qui* m'adresser.

a. Devine .... on se moque.

b. Hervé est un ami .... tu peux compter.

c. Dites-moi .... est ce cadeau.

d. Qui est-ce? C'est le voisin .... j'ai vendu ma voiture.

e. Les fenêtres .... donnent sur la rue sont ensoleillées.

f. Sais-tu .... elle part en vacances?

g. Le candidat .... j'ai voté a été élu député.

h. Suzette, ... j'ai fait des crêpes, m'a demandé la recette.

i. L'homme .... tu parlais est un agent secret.

j. Je ne me souviens plus .... nous parlions.

9 *Ce qui, ce que.* **Reliez les éléments suivants.**

✓ Exemple : Dis-moi *ce que* tu en penses.

a. Dis-moi
b. Il est en retard
c. Tu n'écoutes jamais
d. L'hypocrisie, c'est
e. Ils nous prêtent un appartement,
f. Elle n'a pas cru
g. Ce film a fait 500 000 entrées,
h. Lisez bien
i. Nadine travaille à Air France,
j. Ne t'inquiète pas, il fera
k. Tu as toujours fait

• ce qui
• ce que

1. nous permettra d'économiser de l'argent.
2. disent les autres.
3. tu en penses.
4. je lui ai dit.
5. n'est pas étonnant.
6. est écrit au tableau.
7. je déteste le plus chez les gens.
8. tu lui demanderas !
9. tu voulais.
10. lui permet de voyager gratuitement.
11. est un succès à Paris.

10 **Utilisez** *c'est... qui, c'est... que, c'est... dont* **pour mettre en relief les mots soulignés.**

✓ Exemples : Il s'est inspiré de ce livre. ▶ *C'est* le livre *dont* il s'est inspiré.
Il est s'inspiré de ce livre. ▶ *C'est* lui *qui* s'est inspiré de ce livre.

a. Pierre présentera le projet à notre président. ....
b. Je te l'ai demandé hier ! ....
c. Vous risquez votre réputation. ....
d. Étienne vous a parlé de ce village. ....
e. Il me l'a dit. ....
f. Nous voulons nous séparer de cette voiture. ....
g. Tu as vu un requin ? ....
h. Je lui ai donné la même réponse. ....
i. Vous êtes les héros de ce livre. ....
j. Brigitte veut absolument voir cette exposition. ....

11 **Répondez aux questions suivantes en utilisant** *c'est... que* **(** *qu'* **) ou** *c'est... qui.*

✓ Exemples : Qui te l'a dit ? (lui) ▶ *C'est* lui *qui* me l'a dit.
Quand partez-vous ? (demain) ▶ *C'est* demain *que* nous partons.

a. Où l'as-tu rencontré ? (à Paris) ....
b. Pourquoi le vol a-t-il été annulé ? (pour des raisons techniques)..
c. Qui est l'auteur de cet article ? (Jean-Paul Kauffman)..
d. Quel est le monument le plus visité à Paris ? (la pyramide du Louvre) ....
e. Laquelle des deux préfères-tu ? (la rose) ....
f. Qui déjeune ici ? (nous)..
g. Qu'est-ce qui te rend si nerveuse ? (le café) ....
h. Qui va fermer la fenêtre ? (moi) ....
i. Comment a-t-il reconnu ses erreurs ? (en lui expliquant) ....
j. Qu'est-ce qui lui fait peur ? (le chien) ....

12 **Complétez avec** *qui, à qui, ce que*, **etc.**

✓ Exemple : Devine *de qui* on parle ! – De Martine ?

a. Devine .... j'ai rencontré ? – Michel ?

b. Devine .... Patricia m'a raconté.

c. Devine .... est écrit sur ce papier.

d. Devine .... il se marie !

e. Devine .... elle pense. – À Carlos !

f. Devine .... est cette voiture. – À Jean-Marie.

g. Devine .... Christophe a apporté.

h. Devine .... nous plaidons. – Pour Monsieur Letort.

i. Devine .... Sabine se méfie. – De son frère.

j. Devine .... a écrit cette lettre.

C. *Lequel, laquelle...* avec ou sans préposition

13 **Complétez avec** *lequel, laquelle, lesquels, lesquelles.*

✓ Exemple : Le stylo avec *lequel* tu écris est à moi.

a. La personne avec .... vous voyagerez est canadienne.

b. La situation dans .... nous nous trouvons est préoccupante.

c. Nous avons interrogé ton voisin, ... n'a pas pu nous renseigner.

d. Mon fils téléphone à sa petite amie avec .... il part en vacances.

e. Les régions par .... je suis passé étaient très belles.

f. Le fauteuil sur .... tu es assise a été brodé par ma grand-mère.

g. Les copains avec .... il voyage sont très sympas.

h. J'ai tout avoué à sa mère, ... est partie furieuse.

i. Tu as vu l'arbre sous .... elle est !

j. Les entreprises pour .... nous travaillons sont toutes satisfaites de nos services.

14 **Complétez avec** *auquel, à laquelle, auxquels, auxquelles.*

✓ Exemple : C'est la seule chose *à laquelle* je pense.

a. Ce sont des situations .... vous êtes habitué.

b. Le vase .... je tenais le plus est cassé !

c. Les idées .... nous avons cru sont dépassées.

d. Ce livre .... tu ne fais pas attention est très rare.

e. Ce sont des exercices .... je ne comprends rien.

f. L'histoire .... tu ne veux pas croire est pourtant vraie !

g. Les événements .... nous pensons sont très curieux.

h. La maison .... il rêve est trop chère pour lui.

i. C'est un homme .... il arrive toujours beaucoup d'aventures.

j. Ces amis .... il est très attaché lui ont sauvé la vie.

15 Complétez avec *duquel, desquels, de laquelle, desquelles*.

✓ Exemple : C'est une rue au bout **de laquelle** on voit la mer.

a. C'est un film à la fin .... tout le monde pleure.

b. Leur maison près .... coule la Marne est un peu humide.

c. La cheminée au-dessus .... est posée la statuette est très ancienne.

d. C'est un très beau chemin au bout .... on peut voir toute la côte.

e. La colline au sommet .... il est monté offre un joli point de vue.

f. Nous n'avons pas de nouvelles du bateau à bord .... il est parti.

g. Thierry m'a donné des timbres en échange .... je lui ai offert une bande dessinée.

h. J'ai revu la pièce à propos .... on avait longuement discuté.

i. C'est l'escalier en bas .... Pierre t'attendra.

j. Nantes est la ville à côté .... je suis né.

16 Faites une seule phrase en utilisant une préposition suivie de *lequel, laquelle...*

✓ Exemple : C'est une question importante. Il faut revenir sur cette question !
▸ C'est une question importante **sur laquelle** il faut revenir.

a. Brigitte a passé trois ans à Barcelone. Elle a beaucoup écrit au cours de ces années. ....
....

b. Le nouveau président a fait beaucoup de promesses. Parmi ces promesses : une meilleure
justice sociale. ....

c. Il passe actuellement un concours. À la suite de ce concours, il pourra travailler chez IBM.
....

d. Vous prenez la première rue à droite. Au bout de cette rue il y a une station service. ...
....

e. Emma a perdu son ours en peluche. Elle aimait beaucoup jouer avec. ....
....

f. Faites attention à la date limite. Vous paierez plus cher au-delà de cette date. ....
....

g. C'est un beau chemin. Tout au long, il y a des rangées de peupliers. ....
....

h. Les Lavigne sont de très bons amis. On peut compter sur eux. ....
....

i. C'est une guerre injuste. Il faut lutter contre cela. ....
....

j. Sylvie a reçu beaucoup de fleurs. Au milieu, il y avait une carte de son amant. ....
....

Les relatifs

17 *Complétez :*

DES VACANCES INTELLIGENTES

Alain : Cette année, j'ai envie de passer des vacances .... soient intéressantes.

Béatrice : Tu veux dire des vacances pendant .... tu vas lire des tas de bouquins et voir des films .... je ne comprends rien !

Alain : Mais non ! J'ai aussi envie de visiter des musées .... on pourra voir des œuvres d'art .... on pourra parler ensemble.

Béatrice : Moi, ce genre d'endroit dans .... on ne voit que des vieux tableaux .... ont été peints il y a 300 ans, ça ne me dit rien !

Alain : Bon, tu préfères passer un mois à ne rien faire dans un endroit .... ne m'intéresse pas !

Béatrice : Pas du tout. Mais j'aime le soleil, je veux aller dans un petit village à côté .... il y ait une plage .... je puisse faire du sport. Sur la Côte d'Azur par exemple.

Alain : Ces villages .... je ne peux pas supporter ! Pleins de touristes .... on ne peut pas parler sérieusement !

Béatrice : Peut-être, mais sur .... on peut compter pour jouer au tennis et s'amuser.

Alain : Écoute, j'ai une idée .... on n'a pas pensé. On pourrait aller en Grèce ou en Italie. Ce sont des pays en comparaison .... la Côte d'Azur n'a aucun intérêt : il y a des musées, des antiquités et aussi des petits villages et des plages sur .... tu pourras te faire bronzer...

Béatrice : Pendant que tu visiteras des maisons en ruines au milieu .... tu rencontreras peut-être de jolies archéologues .... tu raconteras tes histoires. Hum ! Il faut que je réfléchisse.

II. PRONOMS PERSONNELS COMPLÉMENTS

AIDE-TOI, LE CIEL T'AIDERA.

A. *Me, te, le, les... lui, leur, à lui, à elle, à eux, à elles, en, y*

18 **Remplacez les mots entre parenthèses par** *le, la, l', les, nous, vous.*

✓ Exemples: Le ministre recevra (la délégation étrangère) à 5 heures.
  ▶ Le ministre *la* recevra à 5 heures.

  Ils ont accompagné (Béatrice et moi) à la gare.
  ▶ Ils *nous* ont accompagné**s** à la gare.

a. Nous connaissons très bien (le président de l'association). ....

b. Depuis ce jour, son frère ignore (Michel et toi). ....

c. Je sais que Pauline déteste (mon cousin). ....

d. Ils ont annoncé (le résultat des courses) à la radio. ....

e. Elle a traduit (les livres d'Octavio Paz) en français. ....

f. Nous rencontrons souvent (la mère de Sébastien). ....

g. Tu laisses (les clés) sur la porte? ....

h. Les Martin invitent (Françoise et moi) à leur repas d'adieu. ....

i. Vous ne voulez pas emmener (le chien) avec vous? ....

j. Un journaliste d'Antenne 2 a interviewé (Joseph et toi)? ....

19 **Répondez aux questions suivantes en remplaçant les mots soulignés par les pronoms** *me, te, lui, leur, nous, vous.*

✓ Exemples: – Vous avez écrit à monsieur Dutronc?
  ▶ Oui, je *lui* ai écrit.

  – Tu me téléphones ce soir?
  ▶ D'accord, je *te* téléphone.

a. Vous avez donné l'autorisation aux enfants? – Bien sûr, nous ....

b. Damien a vendu sa voiture à son oncle? – Oui, il ....

c. Je te rends ton livre dans la semaine? – D'accord, tu ....

d. Alors, elle vous a menti? – Eh oui, elle ....

e. Vous avez répondu <u>à ce client</u>? – Bien sûr, je...

f. Je <u>te</u> plais avec cette robe? – Oui, tu ....beaucoup.

g. Tes amis <u>me</u> proposent de venir? – Oui, ils ....

h. Vous <u>m</u>'écrivez dès que vous avez du nouveau? – D'accord, je............................

i. Il offre un billet d'avion <u>à sa fille</u>? – Oui, c'est son anniversaire. Il ....

j. Tu ne <u>me</u> réponds pas? – Mais si, je ....

---

20 **Complétez avec** *le, la, l', lui.*

✓ Exemple: Je ***l*'**ai vu, mais je ne ***lui*** ai rien dit à ce sujet.

a. Ne cherche plus ton stylo, je .... ai retrouvé!

b. Tu .... as dit ce que tu pensais?

c. Le chef du personnel .... a demandé de rester.

d. Tu aperçois la maison bleue là-bas? – Non, je ne .... vois pas.

e. Qu'est-ce qu'elle fait? Il y a une heure que je .... attends.

f. Il sait faire la cuisine? – Oui, il .... fait très bien.

g. C'est un secret, ne .... répète à personne!

h. Tu as vu ta sœur? – Non, je .... vois ce soir.

i. Nous .... avons donné rendez-vous devant le cinéma.

j. Tu .... as parlé de moi? – Non, mais je .... ai invité à la soirée.

---

21 **Répondez aux questions suivantes (utilisez** *le, la, l', lui, elle*).

✓ Exemple: Tu as vu ce film? ▶ Oui, je l'ai vu.
　　　　　　　　　　　▶ Non, je ne l'ai pas vu.

a. Vous avez téléphoné au plombier? – Oui, je...

b. Tu mets la table? – Non, je ....

c. Est-ce qu'il sort toujours avec la fille du voisin? – Oui, ...

d. Avez-vous rencontré madame Dujardin? – Non, nous ....

e. Les enfants ont-ils écrit à leur grand-père? – Oui, ils ....

f. Tu as regardé la télé hier? – Non, je...

g. Elle te parle toujours de son ami italien? – Oui, elle ....

h. Souhaitez-vous louer cet appartement? – Oui, nous ....

i. Vas-tu manger cette tarte? – Non, je ....

j. Avez-vous acheté le livre dont je vous ai parlé? – Oui, nous ....

---

22 *Les* **ou** *leur?* **Complétez.**

✓ Exemple: Nous ***les*** avons rencontrés, nous ***leur*** avons parlé de nos projets.

a. Et les enfants, à quelle heure va-t-on .... réveiller?

b. Où sont tes lunettes? – Je .... ai laissées au bureau.

c. Racontez .... votre voyage.

d. Regarde les voiliers, on .... aperçoit au large.

e. Est-ce que le film .... a plu?

f. Nous .... défendons de traverser l'avenue.

g. Vous avez écouté les dernières informations ? – Oui, nous .... avons beaucoup commentées.

h. Ne .... découragez pas !

i. Ne .... dites rien !

j. Tu devrais .... indiquer le chemin !

23 Cochez la ou les réponses possible(s).

✓ Exemple : Ce voyage *lui* a beaucoup plu.

lui = ☒ à mon frère ☐ aux touristes ☒ à madame Lupin

a. Mon oncle *l'*achètera cet après-midi.

l'= 1 ☐ à son neveu 2 ☐ le journal 3 ☐ les billets de train

b. Rends-*la* moi immédiatement !

la = 1 ☐ la pièce de 10 francs 2 ☐ ma montre 3 ☐ le collier

c. On ne *lui* a pas demandé son avis.

lui = 1 ☐ au premier ministre 2 ☐ à mademoiselle Badoit 3 ☐ aux électeurs

d. Le soleil *les* a réchauffées.

les = 1 ☐ les bouteilles de bière 2 ☐ l'eau de la piscine 3 ☐ le gazon

e. *Leur* écriras-tu ?

leur = 1 ☐ les cartes postales 2 ☐ à tes amis 3 ☐ une lettre

f. La voiture *l'*a doublé.

l'= 1 ☐ les cyclistes 2 ☐ le camion 3 ☐ les motos

g. Je *leur* souhaite un bon voyage.

leur = 1 ☐ à ma femme 2 ☐ aux touristes 3 ☐ aux joueuses de basket

h. Le journaliste *les* regarde.

les = 1 ☐ les informations 2 ☐ le footballeur 3 ☐ la chanteuse d'opéra

i. Tu *lui* raconteras ce soir.

lui = 1 ☐ à mon frère 2 ☐ à sa sœur 3 ☐ ce fait divers

j. Je ne *l'*aime pas.

l'= 1 ☐ ces tableaux 2 ☐ ma voisine 3 ☐ ce fromage

24 Réécrivez les phrases suivantes en utilisant les pronoms *en* ou *y*.

✓ Exemples : Cet été, nous étions dans les Pyrénées. ▶ Cet été, nous *y* étions.
Il s'occupe des billets. ▶ Il s'*en* occupe.

a. Mes parents vont rarement au théâtre. ....

b. Thierry se plaint beaucoup du bruit. ....

c. Tu restes à la campagne ? ....

d. Il s'aperçoit toujours de mon retard. ....

e. Martine connaît plusieurs pays latino-américains. ....

f. Nous sommes préparés à cette mauvaise nouvelle. ....

g. Allons au restaurant ! ....

h. Avez-vous pris des photos ? ....

i. Voulez-vous manger des huîtres ? ....

j. Elle croit à cette histoire ? ....

25 **Remplacez les pronoms soulignés par** *en* **ou** *de lui, d'elle, d'eux, d'elles.*

✓ Exemples : Jean s'occupe de sa sœur. ▶ Jean s'occupe **d**'elle.
As-tu besoin du marteau ? ▶ **En** as-tu besoin ?

a. Elle ne peut plus se passer de sa cousine. ....

b. Les enfants ont peur du noir. ....

c. Elle n'est pas contente de ses partenaires. ....

d. Je suis fier du résultat. ....

e. Vous vous occupez trop de leurs affaires. ....

f. Il est question de votre frère. ....

g. Je suis frappé par leur ressemblance ! ....

h. Cet homme se méfie de tes amis. ....

i. Je déteste me mêler de vos disputes. ....

j. Pourquoi se moque-t-il de Juliette ? ....

26 **Répondez aux questions suivantes en utilisant** *y* **ou** *à lui, à elle, à eux, à elles.*

✓ Exemples : Tu t'intéresses à l'histoire de France ? ▶ Oui, je m'**y** intéresse.
Vous avez déjà eu affaire au docteur Carpentier ?
▶ Non, je n'ai jamais eu affaire **à lui**.

a. Tu t'adresseras aux responsables d'associations ? ....

b. Elle s'est attachée à ce vieux quartier ? ....

c. Vous vous joindrez aux invités ? ....

d. Marie se consacre à ses études ? ....

e. Est-ce que Bernard s'intéresse à ma sœur ? ....

f. Fais-tu bien attention aux voitures ? ....

g. Vous renoncez à votre carrière ? ....

h. Ils songent à se marier ? ....

i. Elle pense souvent à Philippe ? ....

j. Tu ne t'es pas confié à tes parents ? ....

27 **Complétez les phrases suivantes à l'aide de** *y, en, de/à lui, elle...*

✓ Exemples : Ce livre, je ne m'**en** souviens pas.
Michèle, il ne faut pas se fier **à elle**.

a. Le dictionnaire ? Tu peux le prendre, je n'............ ai plus besoin.

b. J'aimerais tellement habiter ce village de Provence ! J'............ ai rêvé cette nuit.

c. Les Dumont ont déménagé et je n'ai jamais plus entendu parler ....

d. Vous devriez aller voir Suzanne et vous confier ....

e. Cette maison est déjà vendue alors vous pouvez .... renoncer.

f. Ma voisine a gardé le chat pendant mon absence et il s'est beaucoup attaché ....

g. Sophie ? Je ne me souviens pas .... Comment était-elle ?

h. Ce garçon ne me plaît pas ; à ta place, je me méfierais ....

i. Les vacances sont encore très loin ; tu ne devrais pas .... penser tout le temps.

j. Cette proposition me paraît tout à fait honnête ; pourquoi s'............ méfier ?

28 Complétez les phrases suivantes par *me, te, lui* ou *à moi, à toi, à lui, à elle*.

✓ Exemples : Tu ne **m'**écris pas très souvent.
　　　　　　 Madame Michu, tout le monde s'était habitué **à elle**.

a. Je ne sais pas quoi faire ; qu'est-ce que tu .... conseilles ?

b. Antoine est souvent avec Émilie ; il semble s'intéresser beaucoup .... en ce moment !

c. Oui, j'ai rencontré Théo ; il .... a avoué qu'il pensait très souvent ....

d. Yves a des ennuis avec sa mère ; il .... ment souvent et il ne se confie jamais ....

e. Dominique est allée voir sa propriétaire, elle .... a parlé du bruit qu'il y a dans l'immeuble.

f. Lorsque tu as vu Jean, ... as-tu recommandé de fermer la porte à double tour ?

g. Ils ont prévenu le facteur et ils .... ont réclamé le courrier non distribué.

h. On .... le disait déjà l'an dernier, mais tu n'écoutes jamais !

i. Vous avez vu mademoiselle Jeanne ? – Oui, je me suis adressée ....

j. Son frère n'a pas le droit de sortir, le docteur le .... a interdit.

29 Remplacez les mots soulignés par le pronom neutre *le (l')*.

✓ Exemple : Ils espèrent que leur situation changera rapidement.
　　　　　 ▸ Ils **l'**espèrent.

a. Je ne crois pas ce qu'elles racontent. ....

b. Tu ne pensais pas arriver si tôt. ....

c. Souhaitons qu'il réussisse ses examens ! ....

d. J'imagine comment cet objet est conçu. ....

e. Nous reconnaissons avoir commis des erreurs. ....

f. J'exige que vous me disiez la vérité. ....

g. Prouvez ce que vous dites ! ....

h. Il avoue ne pas aimer la nouvelle cuisine. ....

i. Elle va montrer ce qu'elle sait faire. ....

j. Voulez-vous tenter votre chance ? ....

30 Pronoms neutres *en* et *y*. Remplacez les mots soulignés.

✓ Exemple : Laurent se charge de téléphoner à l'aéroport.
　　　　　 ▸ Laurent s'**en** charge.

a. Je ne m'attendais pas à vous voir ici. ....

b. Ta sœur a envie de changer de coiffure. ....

c. Pensez à emporter votre parapluie. ....

d. Tu n'as plus l'habitude de sortir le soir. ....

e. Je ne tiens pas à voir cette personne ici. ....

f. Tu as l'intention de vivre à la campagne. ....

g. On vous oblige à déménager.

h. Annie se souvient d'avoir vu ce tableau au musée d'Orsay. . . . .

i. Vous renoncez à prendre l'avion ? . . . .

j. Nous sommes fiers d'être en votre compagnie. . . . .

B. Place des pronoms personnels (avec l'impératif, l'infinitif et le gérondif)

31 Répétez ces conseils en utilisant *lui/leur, à lui/à elle, à eux/à elles* à la place des mots soulignés.

✓ Exemples : Téléphone à Jeanne. ▸ Téléphone-lui.
Pense à tes parents. ▸ Pense à eux.

a. Envoie des fleurs à ton amie. . . . .

b. Annonce ton mariage à ton directeur. . . . .

c. Prenez garde aux indiscrets. . . . .

d. Dites merci à la boulangère. . . . .

e. Cache la vérité à Béatrice. . . . .

f. Ne te fie pas à mademoiselle Marceau. . . . .

g. Conseillez aux voisins de faire moins de bruit. . . . .

h. Pour ce voyage, joignez-vous à Catherine et Philippe. . . . .

i. Recommande à Nicolas de partir plus tôt. . . . .

j. Écrivez plus souvent à votre grand-mère. . . . .

32 Mettez les phrases suivantes à l'impératif et remplacez le complément par un pronom.

✓ Exemple : Tu ne lis pas ces journaux !
▸ Ne lis pas *ces journaux* !
▸ Ne *les* lis pas.

a. Vous mangez du fromage de chèvre ? . . . .

b. Nous reconnaissons nos erreurs. . . . .

c. Vous accompagnez madame Bedeloux ? . . . .

d. Tu vas à la poste ? . . . .

e. Tu ne prends pas le métro ? . . . .

f. Vous ne répondez pas à vos amis. . . . .

g. Tu attrapes le ballon ? . . . .

h. Tu écris au directeur ? . . . .

i. Nous brûlons les feuilles mortes. . . . .

j. Vous ne pensez pas à votre retour. . . . .

33 Remplacez les mots soulignés par un pronom complément.

✓ Exemples : Je m'en souviendrai en voyant ta mère.
▸ Je m'en souviendrai en **la** voyant.

Elle est en train de parler aux élèves.
▸ Elle est en train de **leur** parler.

a. Il ne veut pas prêter ses jouets. ....

b. En apercevant Georges, j'ai compris que c'était grave. ....

c. Nous avons fait une erreur en invitant cette personne. ....

d. J'ai beaucoup appris en écoutant ce médecin. ....

e. Il faut dire merci à tes amis ! ....

f. Tu dois finir ce travail aujourd'hui ? ....

g. Elle va tout raconter à Hervé. ....

h. Essayez de convaincre votre avocat ! ....

i. Nous devrions mieux définir les objectifs. ....

j. Je n'avais pas vu ce défaut en choisissant la cafetière. ....

34 Mettez les phrases suivantes à la forme négative.

✓ Exemples : Cette histoire me fait rire. ▸ Cette histoire ne me fait pas rire.
Regarde-moi ! ▸ Ne me regarde pas !

a. Laissez-le partir ! ....

b. Nous lui avons parlé franchement. ....

c. Sa visite nous a fait plaisir. ....

d. Prête-lui ta voiture ! ....

e. Je les entends chanter. ....

f. Dis-leur ce que tu penses ! ....

g. Il faut vous prévenir avant ? ....

h. Du beurre ? Mangez-en ! ....

i. Nous t'avions prévenu ! ....

j. Pensez-y ! ....

C. Double pronominalisation

35 Remplacez les mots soulignés par un pronom personnel et accordez les participes passés si nécessaire.

✓ Exemple : Vous m'apportez cette lettre. ▸ Vous me **l'**apportez.

a. Tu me prêtes ta cravate ? ....

b. Vous pouvez m'épeler votre nom ? ....

c. Papa, tu me racontes l'histoire de Babar ? ....

d. Nous t'avons rappelé la date de ton départ. ....

e. Les Dupeltier nous ont avoué leur déception. ....

f. Je vous offre *Le Livre de ma mère*. ....

g. Nous vous ferons connaître ce village. ....

h. Le directeur m'a proposé de changer de service. ....

i. Christine nous a donné les renseignements nécessaires. ....

j. Elle te donne sa machine à coudre ? ....

36 Insérez le pronom correspondant à la personne indiquée.

✓ Exemples : Ton frère en a acheté plusieurs (à moi).
   ▸ Ton frère **m'**en a acheté plusieurs.

   On le racontera (à tes voisins et toi).
   ▸ On **vous** le racontera.

a. Ta fille l'a écrit (à Michel et à moi). ....

b. Le facteur en apportera (à toi). ....

c. Tu les envoies bientôt ? (à moi). ....

d. Nous le suggérons (à vos collègues et à vous). ....

e. Je l'ai expliqué plusieurs fois (à toi). ....

f. Le directeur le rappellera (aux élèves et à toi). ....

g. Tu l'avoues (à moi). ....

h. On l'a assuré (à mes amis et à moi). ....

i. Nous l'avions pourtant précisé (à toi). ....

j. Vous pouvez la livrer ? (à moi). ....

37 Remplacez les mots soulignés par des pronoms (attention à l'accord du participe passé).

✓ Exemples : Nous leur avons transmis l'information.
   ▸ Nous **la** leur avons transmise.

   Il nous a raconté ses histoires de marin.
   ▸ Il nous **les** a racontées.

a. Tes voisins nous ont confié leurs clés. ....

b. Est-ce qu'il t'a prêté sa voiture ? ....

c. Vous leur avez suggéré les nouveaux projets. ....

d. Brigitte m'a montré son appartement. ....

e. Michèle nous a réservé les chambres. ....

f. Le député nous a répété le même discours. ....

g. Les Martin m'ont conseillé cette route. ....

h. Grand-père vous a réparé la balançoire. ....

i. Hugo lui a lancé la balle. ....

j. Monsieur Allard vous a recommandé ses étudiants ? ....

38 **Reliez les phrases synonymes.**

✓ Exemple : Je donnerai les cadeaux à Patricia. ▶ Je les lui donnerai.

a. Je donnerai les cadeaux à Patricia.
b. Je donnerai le vase à ma mère.
c. Je donnerai cette photo à tes parents.
d. Je donnerai ces jouets aux enfants.
e. Je donnerai la montre à mon fils.
f. Je donnerai le choix aux étudiants.
g. Tu racontes la vérité à Mireille.
h. Tu racontes le voyage à Pierre et Paul.
i. Tu racontes tes histoires au professeur.
j. Tu racontes le film à Isabelle.

1. Je la lui donnerai.
2. Je le lui donnerai.
3. Je les lui donnerai.
4. Je la leur donnerai.
5. Je le leur donnerai.
6. Je les leur donnerai.
7. Tu le lui racontes.
8. Tu la lui racontes.
9. Tu les lui racontes.
10. Tu le leur racontes.

39 **Cochez la ou les réponses possibles.**

✓ Exemple : Christiane *la* lui emprunte.

la = [X] sa voiture ☐ à sa sœur ☐ de l'argent

a. Monsieur Darras le *lui* a demandé ce matin.

lui = 1 ☐ à ton père 2 ☐ la réponse 3 ☐ à mes cousins

b. Nous *le* leur conseillons.

le = 1 ☐ de prendre l'avion 2 ☐ le club Med 3 ☐ à Christine et Paul

c. Donne-les *leur*.

leur = 1 ☐ les renseignements 2 ☐ aux ingénieurs 3 ☐ à ses enfants

d. Ne *les* lui prêtez pas.

les = 1 ☐ ces magazines 2 ☐ à votre frère 3 ☐ des jouets

e. La concierge *la* lui lance.

la = 1 ☐ à la locataire 2 ☐ la clé 3 ☐ du courrier

f. Le petit Chaperon rouge le *lui* apporte.

lui = 1 ☐ le panier 2 ☐ de la confiture 3 ☐ à sa grand-mère

g. Dis-*le* lui.

le = 1 ☐ que je suis parti 2 ☐ à mon frère 3 ☐ les résultats

h. Je *les* lui propose.

les = 1 ☐ mes services 2 ☐ des places de cinéma 3 ☐ aux étudiants

i. Le guide touristique la *leur* recommande.

leur = 1 ☐ cette promenade 2 ☐ aux vacanciers 3 ☐ aux voyageurs

j. Vous ne *le* leur avez pas suggéré ?

le = 1 ☐ à Monsieur Millaud 2 ☐ ce qu'ils devaient faire 3 ☐ de débrancher leur téléphone

40 Remplacez les mots soulignés par les pronoms *en* ou *y*.

✓ Exemple : On ne peut pas l'empêcher de crier.
➤ On ne peut pas l'**en** empêcher.

a. Ses amis lui ont acheté des cassettes vidéo. ....

b. Michel s'est inquiété de votre santé. ....

c. Je ne voudrais pas t'empêcher de partir. ....

d. Firmin va vous conduire à votre hôtel. ....

e. Est-ce que tu m'autorises à sortir ce soir ? ....

f. Ne vous approchez pas trop du bord ! ....

g. Le mauvais temps les oblige à rentrer plus tôt. ....

h. Depuis la rentrée, elle se consacre pleinement à cette étude. ....

i. Le propriétaire nous autorise à faire des fouilles. ....

j. Je m'aperçois maintenant des erreurs qu'il a pu commettre. ....

41 Répondez aux questions suivantes en utilisant les pronoms *en* ou *y*.

✓ Exemples : – Elle te propose de nouveaux documents ? ➤ Oui, elle **m'en** propose.
– Vous vous inscrivez à la fac ? ➤ Non, nous ne **nous y** inscrivons pas.

a. Mathilde s'intéresse à la biologie ? – Oui, elle..

b. Pascal vous invite à le rejoindre ? – Oui, il..

c. Les étudiants se doutent de leurs résultats ? – Non, ils..

d. Vous l'avez averti des grèves des transports ? – Oui, je..

e. Ton père t'accompagne au lycée ? – Non, il..

f. Vous nous offrez des tarifs spéciaux ? – Bien sûr, nous..

g. Est-ce que tu t'occupes des factures ? – Non, je..

h. Les syndicats s'opposent à cette nouvelle mesure ? – Non, ils..

i. Tu m'emmènes chez Pauline ? – Oui, je..

j. Jean me croit capable de le réveiller à l'aube ? – Ah oui !, il..

42 Remplacez les mots soulignés par *le, la, l', les, en, y*.

✓ Exemple : Charles nous a raconté l'histoire de la bergerie.
➤ Charles nous **l'**a raconté**e**.

a. Grand-père vous conduira à Orly. ....

b. Cyril me prête sa moto. ....

c. Brigitte nous a déjà parlé de cet appartement. ....

d. Ma sœur t'a montré ses photos de mariage ? ....

e. Il se demande ce qui a bien pu leur arriver. ....

f. Evelyne nous a invités à son anniversaire. ....

g. Il me décrit les objets qu'il a trouvés. ....

h. Dominique te propose de venir chez elle. ....

i. C'est ma belle-mère qui nous a offert ce tableau. ....

j. Elle ne vous a pas demandé les clés ? ....

43 **Répondez par l'affirmative
(en utilisant deux pronoms compléments).**

✓ Exemple : Tu donneras mon adresse à Cécile ?
➤ Oui, je *la lui* donnerai.

a. Sarah, tu accompagneras les enfants à la piscine ? – ....

b. Vous proposerez cette solution au comptable ? – ....

c. Est-ce qu'elle lui a reproché son retard ? – ....

d. Est-ce qu'il t'a parlé des perspectives européennes ? ....

e. Tu as rendu les lunettes à Béatrice ? – ....

f. Vous parlerez de cela à vos parents ? – ....

g. Vous transmettrez le bilan à votre président ? – ....

h. Je vous prête ma machine à coudre ? – ....

i. Les employés ont déclaré les pertes au journaliste ? – ....

j. Est-ce qu'elle a demandé la permission au professeur ? – ....

44 **Imaginez les questions
(remplacez les pronoms par des compléments).**

✓ Exemples : ➤ Est-ce que la concierge s'occupe de tes plantes ?
– Oui, elle *s'en* occupe.

➤ Tu as raconté notre accident à Olivier ?
– Oui, je *le lui* ai raconté.

a. .... ?
Oui, on nous l'a annoncé.

b. .... ?
Non, je ne la lui apprends pas.

c. .... ?
Non, elle ne s'en aperçoit pas.

d. .... ?
Oui, ils me la prêtent.

e. .... ?
Non, nous ne nous y opposons pas.

f. .... ?
Oui, je te le conseille.

g. .... ?
Oui, nous la leur achetons.

h. .... ?
Non, je ne le lui ai pas offert.

i. .... ?
Oui, on vous le remettra demain.

j. .... ?
Oui, je les y accompagne samedi.

45 Remplacez les mots soulignés par des pronoms personnels.

✓ Exemple : Tu peux remettre ce message à monsieur Lucas ?
▶ Tu peux **le lui** remettre ?

a. Vas-tu interdire à ta fille de sortir ? ....

b. Il a essayé de raconter ses malheurs à Paul. ....

c. J'aimerais offrir cette lampe à ma sœur. ....

d. Veux-tu rendre la tondeuse à gazon aux voisins ? ....

e. Je refuse de prêter ce disque à ta copine ! ....

f. Il faut chanter cette chanson à ton oncle. ....

g. Tu nous présentes le metteur en scène ? ....

h. Nous tenterons de vendre ce tableau à un collectionneur. ....

i. J'espère dire à ton frère ce que je pense. ....

j. Tu oublies toujours d'apporter les livres à ta grand-mère. ....

46 Mettez les phrases suivantes à l'impératif.

✓ Exemples : Vous le lui racontez. ▶ Racontez-le lui !
Tu ne me le donnes pas ! ▶ Ne me le donne pas !

a. Vous ne le lui répétez pas ! ....

b. Tu me le récites ! ....

c. Nous ne les lui confions pas ! ....

d. Tu le lui prouves ! ....

e. Vous me le préparez ! ....

f. Vous ne me le cachez pas ! ....

g. Vous nous le vendez ! ....

h. Tu la lui achètes ? ....

i. Vous la leur apportez. ....

j. Vous me l'indiquez. ....

47 Remettez les phrases dans l'ordre.

✓ Exemples : lui / as / tu / le / défendu ▶ Tu le lui as défendu.
avons / lui / nous / donné / en ▶ Nous lui en avons donné.

a. les / a / le chef du personnel / accordés / leur ....

b. lui / rappellerez / le / vous ....

c. en / papa / acheté / lui / a ....

d. nous / leur / présentons / la ....

e. écrit / leur / Franck / a / le ....

f. leur / offert / en / Françoise / a ....

g. la / nous / réservons / lui ....

h. a / lui / on / les / rachetés ....

i. lui / ai / je / en / apporté ....

j. en / tu / promis / leur / as ....

25

Pronoms personnels compléments

48 *Complétez le dialogue suivant.*

AU RESTAURANT

Le garçon : – Bonjour, monsieur. Que désirez-vous ?

Le client : – Un gigot d'agneau. Je .... voudrais saignant.

Le garçon : – Ah ! Je suis désolé : il n'y .... a plus.

Le client : – Ça ne fait rien. Vous .... donnerez un filet de bœuf.

Le garçon : – Vous n'avez pas de chance, il ne nous .... reste plus non plus.

Le client : – Il .... reste des tripes à la mode de Caen ?

Le garçon : – Heu, non. Nous .... préparons seulement le mercredi.

Le client : – Et le lundi, vous .... proposez quoi à vos clients ?

Le garçon : – Aujourd'hui, nous avons du poisson.

Le client : – Non merci, je n' .... tiens pas ! Je .... contenterais d'une omelette... si c'est possible ! Faites-............ bien cuire s'il .... plaît !

Le garçon : – Et comme boisson ?

Le client : – Un quart Vittel.

Le garçon : – Bien monsieur, je .... apporte tout de suite.

III. LES TEMPS DE L'INDICATIF

QUI A BU BOIRA.

A. Le présent et le futur ; valeurs et emplois

49 **Utilisez le présent progressif chaque fois que cela est possible.**

✓ Exemples : Les enfants dorment très bien dans l'avion. (dormir)

Les enfants **sont en train de dormir**. (dormir)

a. Beaucoup de Français .... leurs vacances en juillet. (prendre)

b. Nous .... avec tes parents. (déjeuner)

c. Simone .... à ton questionnaire. (répondre)

d. Les journalistes .... les témoins. (interroger)

e. Cette boîte .... combien d'œufs ? (contenir)

f. Dépêche-toi ! Il .... (nous attendre).

g. Nous .... chaque année une maison sur le bord de mer. (louer)

h. Attendez-moi, je .... tout de suite. (arriver)

i. Il est occupé, il .... (téléphoner).

j. Va te coucher, tu .... ! (s'endormir)

50 **Quelles sont vos habitudes ? Faites des phrases à partir des expressions suivantes (au présent de l'indicatif).**

✓ Exemple : (tous les soirs) Je regarde le journal télévisé tous les soirs.

a. (le matin)..

b. (souvent)..

c. (toujours)..

d. (l'été/en été)...

e. (de temps en temps)...

f. (le dimanche matin)..

g. (quand il pleut)..

h. (pendant les vacances)..

i. (rarement)..

j. (à midi)..

51 Un accident. Racontez la scène en vous aidant des éléments suivants : *arriver au carrefour/rouler très vite/ne pas voir le feu rouge/freiner trop tard/sortir de sa voiture/demander ce qui est arrivé/écouter le témoignage des passants/bloquer la circulation/faire un constat d'accident/s'excuser/s'en aller*

▶ Lorsque j'arrive au carrefour..
....
....
....

52 Le présent de narration : lorsque cela vous semble possible, sans modifier le sens du récit, remplacez le passé par le présent (10 verbes peuvent ainsi être modifiés).

✓ Exemple (a): Marianne dormait profondément. Tout à coup, le téléphone a sonné. Elle **se précipite** sur le combiné...

a. Marianne dormait profondément. Tout à coup, le téléphone a sonné. Elle s'est précipitée sur le combiné car elle redoutait une mauvaise nouvelle. Elle a décroché et le bip... bip... bip... anodin a achevé de la réveiller. Encore cette plaisanterie de mauvais goût qui l'a dérangée quatre fois cette semaine.

b. Hier, pendant le cours d'anglais, les élèves travaillaient en silence : l'exercice leur semblait difficile et ils étaient totalement absorbés dans leurs réflexions. Tout à coup, un moineau est entré par la fenêtre ouverte et, pris de panique, il s'est cogné contre les carreaux et les murs de la classe. Les enfants intrigués ont levé la tête mais tout s'est passé très vite et l'oiseau a retrouvé la sortie. L'incident a perturbé les élèves pendant quelques instants mais ils se sont remis au travail.

c. Paul suivait avec grand intérêt une énigme policière à la radio. Il était sur le point de découvrir le coupable lorsque son transistor s'est mis à grésiller. Il s'est emparé du poste, l'a secoué dans tous les sens, mais rien à faire, plus un son n'est sorti. Encore une énigme dont il ne devait pas connaître le dénouement.

53 Utilisez le présent de l'indicatif pour donner un ordre ou formuler une demande.

✓ Exemple: (se taire) ▶ Tu te tais !

a. (fermer la fenêtre) ....
b. (répondre au téléphone) ....
c. (acheter le journal) ....
d. (s'occuper des desserts) ....
e. (passer à la poste) ....
f. (aller chercher les enfants à l'école) ....
g. (payer la facture d'électricité) ....
h. (déposer la voiture au garage) ....
i. (ranger ses affaires) ....
j. (mettre la table) ....

54 Soulignez les verbes au futur et donnez leur infinitif.

Le nouveau parc de loisirs, avec ses vingt hectares, <u>sera</u> le plus grand de la région. Un lieu vivant où l'on pourra trouver mille activités ou choisir de ne rien faire. Ce nouvel espace ouvrira ses portes à la fin de l'année. D'ici là, on verra s'aménager un canal qui longera la galerie principale. Une salle de concert accueillera plus de mille spectateurs, un cinéma offrira une programmation ininterrompue de dessins animés tandis que le planétarium nous permettra de découvrir toute l'actualité de l'astronomie. De nombreux espaces-jeux amuseront les petits et les grands. Nous sommes sûrs que vous viendrez tous en famille ! Pour le premier mois d'ouverture les visiteurs bénéficieront de tarifs spéciaux.

être ....
....
....
....
....
....
....
....
....
....

À vous maintenant d'imaginer d'autres grands projets culturels (une maison de la musique, une bibliothèque multimédia, un immense jardin d'enfants...)

55 Utilisez le futur pour donner une consigne, exprimer un souhait ou un conseil (vous pouvez ajouter une petite justification comme dans l'exemple).

✓ Exemple : Faites attention en rentrant !
    ▶ Vous **ferez** attention en rentrant, **la route est glissante** !

a. Ne rentrez pas trop tard ! ....
b. Vérifie les comptes ! ....
c. Soyez patient avec les enfants ! ....
d. Relisez le texte ! ....
e. Levez-vous tôt ! ....
f. N'oublie pas de téléphoner ! ....
g. Viens avec nous ! ....
h. Répondez aux questions ! ....
i. Réservons les places à l'avance ! ....
j. Ne dis rien aux voisins ! ....

56 Répondez à ces recommandations en exprimant une promesse (utilisez le futur).

✓ Exemple : Tu devrais écrire à Louis. ▶ D'accord, je lui écrirai.

a. Tu devrais repeindre ta cuisine. – Tu as raison, je..............................
b. Tu devrais savoir ce qu'il pense. – C'est promis, ...
c. Tu devrais voir ce film. – Bien sûr, ...
d. Tu devrais accueillir tes amis dans le jardin. – C'est une bonne idée, ...
e. Tu devrais envoyer un mot à Bernard. –..............................

f. Tu devrais jeter ces vieilles revues. – ....

g. Tu devrais racheter une machine à coudre. – ....

h. Tu devrais prévenir ton frère. – ....

i. Tu devrais prendre ce médicament. – ....

j. Tu devrais retenir son nom. – ....

57 La condition dans le futur. Terminez les phrases.

✓ Exemple : S'il ne donne pas de nouvelles d'ici demain, *il faudra lui téléphoner*.

a. Si tu ne le lui dis pas, ...

b. S'il est toujours malade lundi, ...

c. Si vous ne les invitez pas, ...

d. Si le temps s'améliore, ...

e. Si tu continues à lui cacher la vérité, ...

f. Si tu ne trouves pas les clés, ...

g. S'il n'obtient pas d'augmentation, ...

h. S'il réussit tous ses examens, ...

i. Si vous allez à Bruxelles, ...

j. Si je choisis un parfum, ...

58 Si + présent ou futur. Trouvez deux phrases...

a. qui expriment un projet :

✓ Exemple : Si je sors assez tôt, on ira au cinéma.

....

b. qui expriment une menace :

✓ Exemple : Si tu continues, je vais me fâcher !

....

c. qui expriment une obligation :

✓ Exemple : Si tu as encore de la fièvre demain, il faudra appeler le médecin.

....

d. qui expriment une conséquence (dont on est sûr) :

✓ Exemple : Si elle ne réserve pas ses billets maintenant, elle n'aura pas de place !

....

e. qui expriment une proposition :

✓ Exemple : Nous allons vous raccompagner s'il n'y a plus de métro.

....

59 **Utilisez le futur proche chaque fois que cela est possible.**

✓ Exemples : Vous voulez un verre ?
Que faites-vous ce week-end ? ▶ Qu'allez-vous faire ce week-end ?

a. Je t'écris, c'est promis ! ....

b. Nous habitons ici depuis un an. ....

c. Je suis sûr de l'avoir vu quelque part ! ....

d. Brigitte a quinze ans ce mois-ci ! ....

e. Attends ! Je range d'abord le document. ....

f. Qu'est-ce qu'on mange ce soir ? ....

g. Ça fait trois ans que je passe Noël ici. ....

h. Ne quitte pas, je lui pose ta question. ....

i. Je le vois demain à la piscine. ....

j. Il y a un mois que Michel ne travaille plus ici. ....

60 **Conjuguez les verbes au présent ou au futur de l'indicatif.**

✓ Exemple : Si tu **viens** me voir, je te **montrerai** ses tableaux. (venir/montrer)

a. Il .... midi, il .... dans un quart d'heure comme prévu. (être/arriver)

b. Je t' .... si j' .... le temps. (appeler/avoir)

c. Marie n' .... pas chez elle, je lui .... plus tard.   (être/téléphoner)

d. Si tu .... à Paris, tu .... par visiter le musée d'Orsay. (aller/commencer)

e. Je ne .... pas s'ils .... assister à la cérémonie. (savoir/vouloir)

f. Que ....-tu quand elle .... ? (faire/partir)

g. Nous .... rendez-vous avec lui, nous lui .... demain. (avoir/demander)

h. Si vous .... , elle .... davantage de légumes. (venir/prévoir)

i. Si tu .... , nous lui .... un de tes livres. (vouloir/envoyer)

j. Elles .... au musée s'il .... dimanche. (aller/pleuvoir)

61 **Utilisez le présent de l'indicatif pour parler du présent ou du futur.**

✓ Exemples : (déjeuner/présent) ▶ **Souvent**, je déjeune au café du coin.
(déjeuner/futur) ▶ Demain midi, je **déjeune avec Nathalie**.

a. (partir/futur) ▶ ....

b. (habiter/présent) ▶ ....

c. (peser/présent) ▶ ....

d. (écrire/futur) ▶ ....

e. (dormir/présent) ▶ ....

f. (envoyer/futur) ▶ ....

g. (essayer/présent) ▶ ....

h. (prendre/présent) ▶ ....

i. (mettre/futur) ▶ ....

j. (participer/futur) ▶ ....

62 Retrouvez l'ordre chronologique des différentes séquences d'un film et numérotez les phrases de 1 à 5.

a. Il est sur le point de manger. ☐

b. Il va bientôt manger. ☐ 1

c. Il vient de manger. ☐

d. Il est en train de manger. ☐

e. Il finit de manger. ☐

63 Indiquez si l'action est passée (PA), présente (PR) ou future (F).

✓ Exemple : La Révolution française commence en 1789. (PA)

a. À quelle heure prends-tu l'avion ?... Tu vas être en retard !

b. Qu'est-ce que tu regardes ?

c. Je n'ai pas encore eu de réponse. Je leur téléphone ?

d. *Mangeclous* est un roman de 1938 ; trente ans après Albert Cohen écrit *Belle du Seigneur*.

e. Tu les préviens ! – Oui, mais qu'est-ce que je leur dis ?

f. Ne faites pas de bruit, les enfants dorment.

g. Barbara ? Oui, je l'appelle tout de suite. Elle est dans sa chambre.

h. En 1936, le Front populaire instaure les premiers congés payés.

i. La semaine prochaine, j'arrête de fumer !

j. À 65 ans, François Mitterrand devient président de la République française.

64 Indiquez si le présent indique une répétition (R), une narration (N), un passé récent (PR) ou un futur (F).

✓ Exemple : L'homme jette son pardessus sur le fauteuil et allume une cigarette. (N)

a. Le dimanche soir, elle téléphone à son fils. (   )

b. Mon père rentre à l'instant du bureau. (   )

c. On a beau te le dire, tu n'écoutes jamais. (   )

d. Je prends l'avion mercredi à 18 h 05. (   )

e. Tu es essoufflé, tu arrives tout juste ? (   )

f. Quand cet étudiant présente-t-il son mémoire ? (   )

g. Chaque soir, France Gall passe au Bataclan. (   )

h. Le vent se met à souffler de plus en plus fort... (   )

i. Pierre comprend à l'instant le sens de cette plaisanterie. (   )

j. Anne monte lentement l'escalier et s'arrête devant la porte 313. (   )

B. Le futur antérieur. Morphologie et emplois

65 **Remplacez le passé composé par le futur antérieur.**

✓ Exemple : Nous sommes arrivés. ▶ Nous **serons arrivés**.

a. Vous êtes venus...........................
b. On a perdu...........................
c. J'ai vécu...........................
d. Ils ont fini...........................
e. Nous avons su...........................

f. Tu as bu...........................
g. Vous avez mangé...........................
h. Elle est rentrée...........................
i. Je me suis levé...........................
j. Elles ont fini...........................

66 **Écrivez les verbes au futur antérieur.**

✓ Exemple : Nous partirons ▶ Nous **serons partis**.

a. Tu sortiras...........................
b. Elle tombera...........................
c. Nous offrirons...........................
d. Ils chanteront...........................
e. J'écrirai...........................

f. On attendra...........................
g. Vous dormirez...........................
h. Tu vivras...........................
i. Vous reviendrez...........................
j. Elles étudieront...........................

67 **Conjuguez les verbes entre parenthèses au futur antérieur.**

✓ Exemple : Je **serai rentré** avant cinq heures. (rentrer)

a. Vous .... le repas ? (préparer)
b. Vous .... déjà .... (partir)
c. Les enfants .... (s'endormir)
d. Je les .... avant (prévenir)
e. Oscar et Bertrand .... à temps. (ne pas revenir)
f. Finalement, vous .... la parole très souvent. (prendre)
g. Tu .... assez fort. (ne pas crier)
h. Nous .... peu de temps pour les convaincre. (mettre)
i. Elle nous .... service. (rendre)
j. Demain, la police .... sûrement .... le criminel. (découvrir)

68 **Mettez les phrases suivantes au futur.**

✓ Exemple : Tu es arrivé en retard, Brigitte était déjà partie.
▶ Tu **arriveras** en retard, Brigitte **sera** déjà **partie**.

a. Quand tu m'as téléphoné, j'avais prévu de faire autre chose. ....
....

b. Le comité avait déjà pris une décision quand vous avez proposé votre idée. ....
....

c. Lorsque j'ai rencontré Isabelle, elle avait tout avoué à sa mère. ....
....

d. Quand nous sommes venus, tu avais déménagé depuis peu de temps. ....

e. On n'a pas su ce qui avait provoqué l'explosion. ....

f. Éric a vu le directeur mais il avait déjà attribué toutes les bourses. ....

g. Nous avons goûté le plat que tu avais préparé. ....

h. La nuit était tombée quand nous avons fermé le magasin. ....

i. Il était quatre heures et tu n'avais encore rien fait. ....

j. Quand vous l'avez connu, il avait déjà visité la Patagonie. ....

69 Exprimez deux événements successifs dans le futur. Faites des phrases d'après le modèle.

✓ Exemple : 1. finir / 2. montrer ▸ Je te montrerai quand j'aurai fini.

a. 1. faire une réservation / 2. prévenir   ....

b. 1. réussir le concours / 2. s'inscrire   ....

c. 1. bouillir / 2. ajouter la crème   ....

d. 1. traverser la rue / 2. arriver   ....

e. 1. prendre des médicaments / 2. revenir   ....

f. 1. voir / 2. faire des commentaires   ....

g. 1. apprendre ses leçons / 2. appeler   ....

h. 1. rencontrer l'homme (la femme) de sa vie / 2. écrire   ....

i. 1. guérir / 2. aller se promener   ....

j. 1. lire / 2. prêter   ....

C. Le passé composé et l'imparfait

70 Écrivez les participes passés des verbes suivants.

✓ Exemple : naître ▸ né

a. mourir.............................   f. dormir ....

b. vivre.............................   g. cueillir...........................

c. rire ....   h. peindre ....

d. conclure.............................   i. vendre ....

e. savoir.............................   j. mettre ....

71 Écrivez les phrases suivantes au passé composé en faisant attention aux accords éventuels des participes passés.

✓ Exemples: Nous prenons la voiture ◗ Nous avons pris la voiture.
   Catherine part pour le Chili. ◗ Catherine est partie pour le Chili.

a. Le groupe Niagara passe à l'Olympia pendant quatre jours. ....

b. Les fans de Gainsbourg achètent tous ses disques. ....

c. Et tes papiers, tu les ranges ? ....

d. Cette histoire, je n'y crois pas. ....

e. Tu aimes le dernier film de Tavernier ? ....

f. Cette lettre, tu ne la postes pas ? ....

g. Elle lit *Les Parisiens* d'Alain Schiffres. ....

h. Ses vieilles chaussures, il les met tous les jours. ....

i. Je ramène Sophie et Christine chez elles à 10 heures. ....

j. Vous relisez *Le Deuxième Sexe* de Simone de Beauvoir. ....

72 Complétez la terminaison des participes passés si c'est nécessaire.

✓ Exemples: Cette sculpture, elle l'a fait**e** la semaine dernière.
   Il a enfin trouv**é** une activité pour ses week-ends.

a. Vos amis sont adorables ; je les ai rencontré… avec plaisir.

b. Tu as découvert… la clé de l'énigme ?

c. Cette bague, il me l'a offert… pour la naissance d'Antoine.

d. Elle ne retrouve pas sa carte bleue. Pourtant, elle l'a rangé… dans son sac.

e. Ils ont ouvert… une galerie de peinture rue de Seine.

f. Tu cherches tes clés ; qu'est-ce que tu en as encore fait… ?

g. Elle n'a pas reçu… la lettre que tu lui avais promis…

h. Ils ont abandonné… leur voiture sur le bas-côté car elle était tombé… en panne.

i. Avez-vous lu… correctement la règle du jeu ? Je ne suis pas bien sûre de l'avoir compris…

j. Voici une œuvre que Matisse a peint… dans sa jeunesse.

73 Vérifiez et complétez s'il y a lieu les accords des participes passés.

✓ Exemples: C'est une fille que j'ai rencontré**e** à la brasserie Lipp.
   Ce sont des projets que je n'ai jamais p**u** terminer.

a. Ces livres, tu les as acheté…, alors lis-les !

b. Tu sais, les billets que tu as laissé… perdre, je les ai regretté… .

c. J'adore les toiles qu'elle a exposé… .

d. Cette voiture, tu me l'as fait… louer pour rien ; on ne s'en sert pas.

e. Les conseils que je t'ai entendu… donner ne sont pas tous bons.

f. Sa tarte au citron était excellente ; elle n'en avait pourtant jamais préparé… avant.

g. Regarde ces poteries ; je les ai vu… faire à Saint-Paul-de-Vence.

h. C'est une émission que je n'ai pas voulu… suivre jusqu'au bout.

i. Ces vases anciens, où les as-tu trouvé… ?

j. Les vêtements que tu lui as fait… emporter n'étaient pas de saison.

74 Vous voulez engager poliment la conversation ; introduisez vos phrases à l'aide des verbes indiqués en tenant compte des situations données.

✓ Exemple : Vous sonnez chez votre voisine pour emprunter un ouvre-boîte./vouloir
▶ Excusez-moi, je *voulais* vous emprunter un ouvre-boîte.

a. Vous remerciez votre concierge qui a gardé un paquet pour vous. /tenir à

....

b. Vous téléphonez aux parents d'une amie pour connaître sa nouvelle adresse. /souhaiter

....

c. Vous entrez dans un magasin de brocante pour connaître le prix d'un vase. /passer

....

d. Vous apportez des fleurs à l'institutrice qui s'est beaucoup occupée de votre fils. /tenir à

....

e. Vous demandez à l'hôtesse d'accueil si vous pouvez voir Mme Benoit. /désirer

....

f. Vous entrez chez la pharmacienne pour savoir si elle a reçu la crème hydratante que vous lui avez commandée. /passer

....

g. Vous prenez des nouvelles de votre ami hospitalisé auprès de l'infirmière. /avoir envie

....

h. Vous demandez à un employé de la S.N.C.F. les horaires des trains de nuit pour Mâcon. /vouloir

....

i. Vous êtes journaliste; vous prenez un rendez-vous très important avec le directeur de la Vidéothèque de Paris. /désirer

....

j. Vos amis partent vivre au Québec; vous les accompagnez à l'aéroport. /avoir envie

....

75 Utilisez l'imparfait pour faire des suggestions en utilisant l'expression *et si*.

✓ Exemple : Vous avez très envie de passer le week-end au bord de la mer avec Philippe. ▶ *Et si on allait* à la mer ce week-end !

a. Vous proposez à votre mari d'envoyer les enfants en colonie de vacances. ....

b. Vous êtes célibataire ; vous avez très envie de déménager. ....

c. Vous aimeriez beaucoup dîner au restaurant indien ce soir ; dites-le à Paul. ....

d. Vous proposez à votre frère d'offrir un chemisier à votre mère pour sa fête. ....

e. Vous désirez faire une croisière en Méditerranée. Informez-en votre amie. ....

f. Ce soir vous êtes seul(e). Vous souhaitez rendre visite à Véronique et Michel. ....

g. Vous proposez à Thomas et Émilie de faire une partie de cartes. ....

h. Vous aimeriez bien changer de voiture. ....

i. Vous voulez arrêter de fumer. ....

j. Vous avez envie de changer les meubles de place. Dites-le à votre père. ....

D. Le plus-que-parfait. Morphologie et emplois

76 Du passé composé au plus-que-parfait.

✓ Exemple : Tu es allée. ▶ Tu *étais allée*.

a. Elle a couru ....

b. Vous êtes sorties.....................

c. On a voulu ....

d. J'ai découvert ....

e. Nous sommes tombés ....

f. J'ai lu................................

g. Tu as cru ....

h. Ils ont pu ....

i. Vous êtes partie......................

j. On l'a fait ....

77 De l'imparfait au plus-que-parfait.

✓ Exemple : Tu venais. ▶ Tu *étais venue*.

a. Vous réfléchissiez.........................

b. On arrivait...............................

c. Elles écrivaient ....

d. Nous conduisions.........................

e. Tu connaissais ....

f. Vous disiez..........................

g. Elle tombait ....

h. Je devenais.........................

i. Nous suivions ....

j. Il pleuvait..........................

78 Écrivez les verbes entre parenthèses au plus-que-parfait.

✓ Exemple : Il (partir) *était parti* quand on est arrivé.

a. Je (comprendre) .... avant que vous m'expliquiez.

b. Il (mettre) .... son chapeau pour sortir.

c. Tu (rencontrer) .... déjà .... cette femme avant que je te la présente.

d. Ils (se marier) .... alors que ses parents ne la connaissaient pas.

e. Vous (se demander) .... si j'étais d'accord ?

f. Lorsque je suis arrivé chez moi, je me suis rendu compte que j'(oublier) .... mes clés dans la voiture de Martine.

g. Ils (divorcer) .... depuis deux ans quand elle s'est remariée.

h. Vous (ne pas dire) .... qu'on partait le 27 juin ?

i. Ce matin, je t'(demander) .... de passer à la pharmacie avant de rentrer à la maison.

j. Ils nous (prévenir) .... longtemps avant leur arrivée à Paris.

79 Répondez aux questions suivant le modèle.

✓ Exemple : Il dormait ?/s'endormir quand je suis rentrée.
▶ Oui, il **s'était** déjà **endormi** quand je suis rentrée.

a. Tu as regardé le film ?/le voir quand j'étais étudiant
   Non, je...

b. Vous avez téléphoné à Alice ?/la prévenir quand nous étions à Lyon
   Non, nous...

c. Elle a acheté ce roman ?/l'emprunter à la bibliothèque le mois dernier
   Non, elle...

d. Tu as compris l'épisode ?/découvrir l'énigme dès les premières images
   Oui, je..

e. Le garagiste a réparé la voiture ?/la vérifier quand je suis arrivée
   Oui, il..

f. Les enfants ont pris leur bain ?/se laver quand je les ai vus
   Oui, ils..

g. Tu as rangé tes papiers ?/les classer quand tu me l'as demandé
   Oui, je...

h. Vous avez réfléchi aux vacances ?/y penser au début de l'année
   Oui, nous...

i. On a écrit à Nicolas ?/lui envoyer une carte de Londres la semaine dernière
   Oui, on..

j. Tu savais que la crise était finie ?/l'apprendre en écoutant la radio hier matin
   Oui, je...

E. Emploi de l'imparfait, du passé composé et du plus-que-parfait

80 Construisez des phrases au passé à partir des éléments donnés.

✓ Exemple : Il *pleut* ; j'*attends* quelques minutes.
▶ Il **pleuvait** et j'**ai attendu** quelques minutes.

a. Le magasin est fermé ; elle rentre chez elle. ....

b. Elles sortent de l'école ; Christine tombe dans la rue. ....

c. La nuit tombe ; tu allumes la lumière. ....

d. Jean est au chômage ; il prend rendez-vous à l'A.N.P.E.* ....

e. La route est mauvaise ; il perd le contrôle de sa voiture. ....

f. Il fait beau ; on fait une longue promenade. ....

g. Michèle est inquiète ; elle téléphone à sa fille. ....

h. Françoise est en vacances ; elle essaie de faire de la planche à voile. ......

i. Elles traversent la place ; une voiture noire démarre brusquement. ....

j. Je rentre juste chez moi ; le téléphone sonne. ....

* A.N.P.E. : Agence Nationale Pour l'Emploi

81 **Écrivez les verbes indiqués au passé (imparfait ou passé composé).**

✓ Exemple: arriver/parler: Quand il **est arrivé** à Paris, il ne **parlait** pas français.

a. rencontrer/voyager: Elle .... son mari quand elle .... au Kenya.

b. ouvrir/pleuvoir: Il .... son parapluie ; il ....

c. téléphoner/être: Jean t' .... hier soir mais tu n' .... pas là.

d. dire/devoir: Je t' .... déjà .... que tu .... fermer les portes.

e. trouver/se promener: Paul .... ce portefeuille alors qu'il .... sur le boulevard.

f. faire/démarrer: Ce matin, il .... très froid et la voiture n' .... pas ....

g. savoir/aller: Je ne .... pas quoi faire cet été alors je .... au Club Med.

h. se bousculer/perdre: Les gens .... dans le métro et elle .... sa broche en or.

i. courir/rester: Je .... tous les dimanches matin, mais ce jour-là, je .... au lit.

j. rouler/voir: On .... très vite et on n' .... pas .... la poule au milieu de la route.

82 **Réécrivez ces phrases au passé (imparfait ou passé composé).**

✓ Exemple: Elle comprend aujourd'hui ce qui ne va pas depuis des mois.
   ▸ Elle **a compris** aujourd'hui ce qui n'**allait** pas depuis des mois.

a. Ils ferment les volets lorsque l'orage éclate.

   ....

b. Tu fais la tête depuis des heures alors je rentre chez moi.

   ....

c. Les chiens du voisin aboient toute la nuit ; c'est pour cela qu'on déménage.

   ....

d. Ils entrent dans la cuisine ; il y a une épaisse fumée noire.

   ....

e. Brusquement la lumière s'éteint. Seule la lune éclaire la pièce.

   ....

f. On se voit souvent dans la rue et aujourd'hui on prend un café ensemble.

   ....

g. Son père est malade depuis deux jours, elle appelle le médecin.

   ....

h. Il adore son écharpe rouge et ce matin il l'oublie dans le train.

   ....

i. Caroline téléphone à ses parents ; elle est sans nouvelles d'eux depuis une semaine.

   ....

j. Elles attendent le taxi lorsque Jean leur propose de les raccompagner.

   ....

83 Exprimez l'antériorité à l'aide du plus-que-parfait.

✓ Exemple : Le général de Gaulle est mort en 1970 ; il a démissionné de la présidence en 1969. ▶ Il avait démissionné un an avant de mourir.

a. Jacques Prévert a écrit des scénarios pour Marcel Carné, puis il a composé ses recueils de poèmes. ....

b. Auguste Rodin a sculpté *Le Baiser* en 1886. Sa statue de Balzac date de 1898.

....

c. Jacques Higelin a repris la célèbre chanson *La mer*, initialement interprétée par Charles Trenet. ....

d. Bécassine, personnage de B.D., apparaît pour la première fois en 1905. Astérix n'a été créé qu'en 1959 par Goscinny et Uderzo.

....

e. Georges Clemenceau a pris le parti du capitaine Dreyfus en 1898 puis il est devenu Premier ministre (1917).

....

f. Camille Claudel a été l'élève de Rodin mais elle est devenue célèbre beaucoup plus tard.

....

g. Lelouch a reçu la Palme d'Or au festival de Cannes en 1966 pour son film *Un homme et une femme*. *Sous le soleil de Satan* de Pialat a été primé en 1988.

....

h. Renaud a participé aux événements de mai 68 puis il est devenu chanteur engagé.

....

i. Simone de Beauvoir a enseigné la philosophie en 1931 ; elle fut ensuite connue comme écrivain et philosophe.

....

j. François Truffaut a remporté un César en 1981 pour *Le Dernier Métro* ; trois ans avant sa mort. ....

84 Mettez les verbes de ce récit au passé
(imparfait, passé composé ou plus-que-parfait).

✓ Exemple : Il (faire) *faisait* très froid cette nuit-là et Jean n'(arriver) .... pas à dormir. Alors, il (se lever) .... , il (aller) .... au salon où la température (être) .... plus agréable et il (commencer) .... à lire le journal. Il (lire) .... depuis un petit moment lorsqu'il (entendre) .... du bruit à la porte. Il (être) .... surpris car, à cette heure tardive, tout le monde (dormir) .... dans l'immeuble. Il (se diriger) .... vers la porte, il l'(ouvrir) .... et il (se trouver) .... nez à nez avec le fils de ses voisins qui (rentrer) .... d'une soirée. Alors, il (s'excuser) .... et il (expliquer) .... qu'il (oublier) .... ses clés avant de sortir ; comme il (voir) .... un trait de lumière sous la porte de Jean, il (se permettre) .... de frapper. Jean l'(inviter) .... à rentrer chez lui .... **(Imaginez une suite à ce récit).**

85 **Écrivez les verbes indiqués au passé.**
(Attention à l'ordre des mots dans la phrase !)

✓ Exemple : être/pleuvoir : En août, la terre *était* très sèche ; il n'*avait* pas *plu* depuis deux mois.

a. se retrouver/se voir : Ils .... avec plaisir car ils ne .... pas .... depuis les vacances de Noël.

b. perdre/suivre : L'hiver dernier, elle .... deux kilos car elle .... un régime très strict pendant huit semaines.

c. devoir/aller : Il y a trois jours, on .... se retrouver devant le cinéma car juste avant, Nicolas et Sophie .... dîner chez leurs beaux-parents.

d. pouvoir/avoir : Dimanche dernier, il n' .... rien .... faire car il .... très mal à la tête.

e. découvrir/jouer : J' .... en regardant de vieux albums de photos que tu .... au rugby quand tu étais jeune.

f. attraper/se couvrir : Elle .... un rhume car elle ne .... pas assez .... la veille.

g. dire/dîner : La semaine dernière, tu ne m' .... pas .... qu'on .... chez eux ce soir.

h. savoir/connaître : Je ne .... même pas qu'elle .... mon grand-père dans sa jeunesse.

i. voir/travailler : Quand j' .... Annick vendredi, elle m'a paru très inquiète pour son examen, car elle n' .... pas assez .... ces dernières semaines.

j. mettre/prêter : Elle .... beaucoup la robe que tu lui .... avant son départ.

Les temps de l'indicatif

86 *Choisissez un temps du passé pour chacun des verbes de la liste indiqués par un numéro.*

DEUX JEUNES GENS SE PROMÈNENT AU BORD DE LA PLAGE

Cyril: Raconte-moi un peu comment tu (1) .... quand tu (2) .... petit.

Oscar: Mes parents (3) .... en Normandie, dans une ferme qu'ils (4) .... de mes grands-parents. Et puis mes parents (5) .... que les travaux des champs ne leur (6) .... pas ; alors ils (7) .... la ferme et ils (8) .... s'installer au Havre.

Cyril: Ta sœur (9) .... déjà .... ?

Oscar: Bien sûr, elle (9) .... à la ferme. Elle (10) .... cinq ans quand on (11) .... au Havre.

Cyril: Alors vous (12) .... des amis au Havre ?

Oscar: Oui, quelques-uns et puis j'(13) .... le copain qui (8) .... à la même école que moi, enfant.

Cyril: Qu'est-ce que tu (14) .... faire quand tu (2) .... petit ?

Oscar : D'abord, j'(15) .... être fermier pour conduire le tracteur et par la suite, quand j'(16) .... la mer, j'(14) .... être marin.

Cyril: Et maintenant, tu es photographe. Parle-moi un peu de ce que tu fais ou de ce que tu penses faire dans l'avenir...

(1) vivre	(9) naître
(2) être	(10) avoir
(3) habiter	(11) arriver
(4) hériter	(12) se faire
(5) s'apercevoir	(13) retrouver
(6) convenir	(14) vouloir
(7) vendre	(15) souhaiter
(8) aller	(16) découvrir

Imaginez la suite de ce dialogue en utilisant surtout le présent et le futur de l'indicatif.

IV. LES INDICATEURS TEMPORELS

QUAND LE VIN EST TIRÉ, IL FAUT LE BOIRE.

A. Déterminants et prépositions

87 **Complétez les phrases suivantes par *le* si nécessaire.**

✓ Exemples: .... samedi prochain, il joue au football.
Le 8 mai est un jour férié en France.

a. Les banques sont toujours fermées .... dimanche.

b. Les jeunes enfants n'ont pas de cours .... mercredi matin.

c. Exceptionnellement, les guichets de la poste seront fermés .... 9 mai toute la journée.

d. .... lundi dernier, je me suis réveillé à 6 h 45.

e. Il n'a plus d'argent .... 15 du mois; il ne sait pas gérer son budget.

f. .... 29 juillet est une date rouge pour la circulation cette année.

g. On a invité les copains de Nicolas .... mercredi 6 décembre.

h. Elle a organisé une fête pour .... jour de son anniversaire.

i. .... mai est un mois où on ne travaille pas beaucoup.

j. .... mois de décembre est très attendu par les enfants.

88 **Complétez les phrases suivantes par *l'*, *le*, *la* ou *les* si nécessaire.**

✓ Exemple: Il pleuvait très fort *le* jour de son arrivée.

a. Hier .... soir, elles sont allées voir le dernier film de Godard.

b. .... lundi, les salles de cinéma offrent des tarifs réduits.

c. .... nuit du 31 décembre, on se souhaite la bonne année.

d. Pour .... Saint-Valentin, son mari l'a emmenée dîner chez Maxim's.

e. .... jours fériés sont au nombre de 11 dans le calendrier français.

f. .... avril est le mois où on commence à voir des fraises sur les marchés.

g. Il est préférable de manger des huîtres pendant........... mois en « R »*.

h. Pendant .... vacances de la Toussaint, ils sont partis dans les Vosges.

i. .... Pâques est une fête très familiale.

j. Il y a moins de monde à la poste .... après-midi de 14 h à 16 h 30.

* janvier, février, mars, avril, etc.

89 **Complétez les phrases suivantes par *au* ou *en*.**

✓ Exemple: ***En*** janvier prochain, je déménagerai.

a. Qu'est-ce que tu feras .... mois de juillet?

b. Tu sais, les vacances .... été ne m'intéressent pas!

c. Je préfère partir .... printemps.

d. Saviez-vous qu' .... 19ᵉ siècle les femmes étaient très exploitées?

e. Bien sûr, et je pense qu'elles le seront encore .... 1995.

f. .... avril, ne te découvre pas d'un fil.

g. .... mai, fais ce qu'il te plaît.

h. .... retour des vacances, les Français sont couverts de dettes.

i. .... mois de décembre, le surendettement des ménages est important.

j. .... février, il y a beaucoup de neige en montagne.

90 **Complétez avec *à, au, à la, en* ou laissez tel quel.**

✓ Exemple: Il reprend ses cours à l'université ***en*** automne.

a. Il y a eu moins de morts sur les routes françaises .... 1990.

b. Le 31 juillet .... soir, les autoroutes seront saturées.

c. Les hôtels de montagne font le plein de skieurs .... février.

d. Le dernier métro circule à Paris .... 0 h 30.

e. .... printemps, les Français partent souvent en week-end.

f. .... mi-mars, la température commence à s'adoucir.

g. En France .... juin est le mois où les jours sont les plus longs.

h. Les bébés pleurent souvent .... tombée de la nuit.

i. Elle ne dormait pas encore .... petit matin.

j. .... la Toussaint, les Français vont au cimetière.

91 **Complétez en utilisant *de, de l', de la, du, d'*ou laissez tel quel.**

✓ Exemple: Les écoles seront fermées le matin ***du*** 8 avril en raison des élections.

a. La fête .... dimanche se tiendra à la mairie.

b. Le début .... printemps est souvent frais.

c. La réunion .... 3 décembre est reportée au 10 décembre.

d. Au mois .... août, il est parfois difficile de trouver une boulangerie ouverte à Paris.

e. À la fin .... hiver, les gens sont fatigués.

f. Les cours .... jeudi prochain auront exceptionnellement lieu en salle vidéo.

g. Le jour .... distribution des prix, tout le monde est énervé.

h. Les rendez-vous .... semaine .... 12 sont annulés pour raison médicale.

i. Le train .... 19 h 05 en partance pour Lyon est retardé d'une demi-heure.

j. Dans la matinée .... 3 octobre, une manifestation a fait deux blessés.

97 **Faites des phrases en reliant les éléments suivants.**

✓ Exemple : Je déménage dans 8 jours.

	a.	dans	1.	de la semaine.
	b.	à la fin	2.	le pont du 1er Mai.
	c.	au début	3.	8 jours.
	d.	après	4.	du mois prochain.
• Je déménage	e.	à l'issue	5.	31 du mois.
	f.	à	6.	du trimestre.
	g.	au	7.	printemps.
	h.	en	8.	les fêtes de fin d'année.
	i.	le	9.	novembre.
	j.	avant	10.	la mi-février.

93 **Complétez les phrases suivantes avec *dans, après* ou laissez tel quel.**

✓ Exemples : Vous reprenez votre travail **dans** huit jours.
Elle rentre à l'école **après** les fêtes de fin d'année.

a. Il aime prendre un bain .... la soirée ?

b. .... l'après-midi, ils font la sieste à la crèche.

c. Tu n'as pas envie de dormir .... le déjeuner ?

d. .... quelques minutes, l'émission va continuer.

e. La pièce reprendra .... l'entracte.

f. .... Pâques, il fait en général assez beau.

g. Je déteste .... octobre parce qu'il fait mauvais, pas vous ?

h. .... les années 80, la mode était plus gaie.

i. Les magasins sont presque tous fermés .... 20 heures.

j. Les plages seront noires de monde .... quelques semaines.

B. Les adverbes temporels

94 **Dites le contraire ; utilisez les expressions suivantes :** *souvent, ne... pas, encore, ne... plus, longuement, de temps en temps, toujours, tard, il y a longtemps que, occasionnellement, tout le temps.*

✓ Exemple : Il va rarement au cinéma. ▶ Il va **souvent** au cinéma.

a. D'habitude, il sort le soir. ....

b. On a parlé brièvement au téléphone. ....

c. Vous êtes arrivés très tôt ? ....

d. Tu fumes encore ? ....

e. Elle va rarement au zoo. ....

f. Elle va fréquemment danser. ....

g. Ils ne sortent jamais seuls ? ....

h. Elles sont déjà arrivées. ....

i. Nous lui avons téléphoné récemment. ....

j. Tu n'es plus au régime ? ....

95 **Indiquez si les actions suivantes ont lieu :** *jamais, toujours, rarement, très souvent, de temps en temps, occasionnellement, régulièrement, fréquemment, presque jamais* **(plusieurs réponses sont parfois possibles).**

✓ Exemple : Ils vont au théâtre deux fois par an.

➧ Ils vont ***rarement***
Ils vont ***de temps en temps***
Ils vont ***occasionnellement*** ⎫ au théâtre.
Ils ne vont ***presque jamais*** ⎭

a. Tous les jours, il commence à 10 heures. ....

b. Elles vont en discothèque au moins trois fois par mois. ....

c. Ça fait quatre ans minimum que je ne suis pas allée au concert. ....

d. Ma grand-mère va à la messe tous les dimanches. ....

e. Il m'arrive de fumer le cigare, pour les fêtes par exemple. ....

f. Les expositions de peinture ? J'habite en pleine campagne alors pour moi, c'est impossible d'aller en visiter. ....

g. Tous les matins, ils se levaient à 5 heures, alors ils ont cherché un autre appartement.
....

h. Je ne l'ai pas entendu une seule fois. ....

i. On s'est rencontrés mais elle était pressée ; on ne s'était pas vus depuis des mois.
....

j. Pierre est un vrai cinéphile ; il va au moins trois fois par semaine au cinéma.
....

C. Les constructions verbales

96 **Indiquez le futur proche ; complétez les phrases suivantes avec :** *aller, être sur le point* **ou** *ne pas tarder* **à la forme correcte.**

✓ Exemples : Vite, la boulangerie ***est sur le point*** de fermer.
Dépêchons-nous, on ***va*** être en retard !
Michel ***ne va pas tarder*** à rentrer ; il vous rappellera bientôt.

a. La voiture est chargée ; nous .... de partir.

b. Attendez ; la librairie .... ouvrir ses portes dans quelques minutes.

c. Il est presque huit heures, nous .... d'écouter les informations.

d. Ça ne va pas du tout ; vous .... à sortir alors qu'il y a encore du courrier à finir.

e. Avant de sortir, je .... vérifier si les enfants dorment bien.

f. On est début décembre ; la saison de ski .... à commencer.

g. Le concurrent naviguant sur *Belle de Jour* .... de dépasser la bouée n° 2.

h. Les enseignants sont mécontents et ils .... à se mettre en grève.

i. Tel que je te connais, tu .... dire que tu as faim !

j. Allô, Claude ? Nous .... de passer chez toi mais peux-tu me donner ton adresse exacte ?

97 Passé récent ou futur proche : complétez les phrases suivantes en utilisant *aller* ou *venir de* conjugués à la forme correcte.

✓ Exemples : Aujourd'hui, je reste à la maison ; mais demain, on **va** assister à un match de volley-ball.

Tu **viens** d'arriver et tu parles déjà de repartir.

a. Tu as vu Étienne ? – Oui, je .... lui parler il y a cinq minutes.

b. Pourquoi ne .... – tu pas passer quelques jours dans le Midi le mois prochain ?

c. Elle est épuisée ; je pense qu'elle ne .... pas tarder à se coucher.

d. Vous partez en week-end mais, il y a trois minutes, vous .... dire que vous aviez vendu votre voiture.

e. Tu n'as pas bien compris ; j'ai dit : "On .... la vendre avant l'été".

f. À la fin de la semaine, M. et Mme Martin .... faire un voyage au Japon.

g. Ces gens sont toujours en déplacement ; il y a un mois, ils .... rentrer de Louisiane.

h. Pourquoi n' .... -nous pas dîner au restaurant ce soir ?

i. Attends, Maman, je .... relire mes leçons avant de me coucher.

j. Tu me répètes toujours la même chose, tu .... me le dire il y a cinq minutes.

D. Indiquer des limites dans le temps ou une évolution

98 Complétez avec *de/d'/du... à/au* ou *entre... et*.

✓ Exemples : La crêperie est fermée **d'**octobre **à** avril inclus.
Il est préférable de ne pas partir **entre** 16 heures **et** 23 heures.

a. Pourquoi ne prenez-vous pas quelques jours de vacances .... la fin avril .... 4 mai ?

b. Il se plaint .... matin .... soir.

c. Les banques ferment en général .... vendredi 16 heures .... lundi 9 h 30.

d. Notre entreprise accorde un congé au personnel .... le 24 décembre .... le 3 janvier.

e. Le temps n'est pas clément à Paris .... novembre .... mars.

f. Le colloque se déroule aujourd'hui .... 10 heures .... 16 h 15.

g. .... la sortie de l'école .... l'heure du coucher, je n'ai pas une minute à moi.

h. M. Dubois s'absente en général .... midi .... 2 heures pour déjeuner.

i. Je ne vois pas le temps passer .... le lundi .... le vendredi.

j. L'hôtel des pistes sera fermé .... avril .... la mi-juin.

99 **Complétez les phrases suivantes par le futur, le présent ou le passé.**

✓ Exemples: Dès vendredi prochain, elle *ira* à la piscine chaque semaine. (aller)
Au bout de trois séances de gymnastique, j'*ai abandonné;* c'était trop dur. (abandonner)

a. À partir de 21 heures demain, la circulation sur les boulevards périphériques .... interrompue. (être)

b. Tu .... me prêter ce disque jusqu'à la semaine prochaine? (pouvoir)

c. Nous n' .... pas de vacances d'ici au mois d'août. (avoir)

d. Ce nouveau travail ne lui convenait pas; elle .... au bout d'un mois. (démissionner).

e. La nouvelle collection d'été .... d'ores et déjà les clientes. (attirer)

f. Tu seras encore là à 5 heures? – Oui, je .... jusqu'à la fin de la réunion. (rester)

g. Dès le 1ᵉʳ décembre passé, on .... les magasins pour les fêtes. (décorer)

h. Ils ont eu des ennuis avec leur voiture, alors désormais, ils........... en avion. (voyager)

i. Les soldes .... en général à partir de la fin décembre. (commencer)

j. Exceptionnellement cette année, elles .... jusqu'au début de mars. (durer)

E. Indiquer la périodicité

100 **Retrouvez les expressions synonymes: reliez les éléments suivants.**

✓ Exemple: *L'Express* est un hebdomadaire; il paraît une fois par semaine.

a. *L'Express* est un hebdomadaire; il paraît   1. sept jours sur sept.

b. Chaque année, on se réunit; c'est   2. mensuelle.

c. En été, il a l'habitude de passer ses vacances en Corse; il y va   3. une fois par semaine.

d. Le métro fonctionne tous les jours soit   4. tous les ans.

e. La revue *Marie-Claire* paraît une fois par mois; elle est   5. trois fois par jour.

f. *Le Figaro* paraît tous les jours; c'est un   6. la réunion annuelle.

g. Ce magazine paraît tous les deux mois, c'est un   7. deux fois par semaine.

h. J'ai rendez-vous chez le dentiste le lundi et le jeudi, soit   8. cinq jours par semaine.

i. Prenez ce médicament matin, midi et soir, c'est-à-dire   9. quotidien.

j. Il va au bureau du lundi au vendredi, soit   10. bimensuel.

101 **Répondez sincèrement et avec précision aux questions suivantes.**

✓ Exemple: Vous arrive-t-il d'aller aux courses de chevaux? – une fois par an/jamais

a. Combien de fois par jour vous brossez-vous les dents? ....

b. Vous arrive-t-il de faire la cuisine? ....

c. Allez-vous de temps au temps au cirque? ....

d. Faites-vous du sport? ....

e. Combien de fois par mois allez-vous danser ? ....

f. Combien d'heures par jour regardez-vous la télévision ? ....

g. Quand allez-vous à la piscine ? ....

h. Vous ne mangez jamais de gâteaux ? ....

i. Combien de livres lisez-vous par mois ? ....

j. Combien de fois par semaine faites-vous la vaisselle ? ....

F. Exprimer la durée

102 *Depuis, il y a, il y a... que, ça fait... que.*
Trouvez deux formulations différentes pour chaque phrase.

✓ Exemples : Elle a quitté sa famille depuis deux ans.
▶ ***Ça fait*** deux ans ***qu'***elle a quitté sa famille.
▶ ***Il y a deux ans qu'***elle a quitté sa famille.

Il y a six mois qu'il travaille à l'aéroport.
▶ Il travaille à l'aéroport ***depuis*** six mois.
▶ ***Ça fait*** six mois ***qu'***il travaille à l'aéroport.

a. Vous avez arrêté de fumer depuis trois semaines. ....
....

b. Il y a plusieurs semaines que je ne l'ai pas vue. ....
....

c. Ça fait longtemps qu'on ne va plus au cinéma. ....
....

d. Depuis plusieurs jours, vous semblez fatigué. ....
....

e. Il y a quelques lundis qu'elle est absente
du cours de peinture. ....
....

f. Ça fait dix ans qu'ils sont mariés. ....
....

g. Il y a cinq minutes que je vous attends. ....
....

h. Elle maigrit depuis six mois. ....
....

i. Ça fait deux heures qu'on est dans
les embouteillages. ....
....

j. Le train est parti il y a vingt-cinq minutes. ....
....

103 Complétez les phrases suivantes à l'aide de *pendant, durant, au cours (de)* ou *pour.*

✓ Exemples : Nous partirons en Corse *pour* Noël.
Elle ne fait pas de sport *durant* (*au cours de/pendant*) l'année scolaire.

a. .... les événements de 68, l'économie française s'était arrêtée.

b. Ils habiteront à l'hôtel .... la durée des travaux.

c. .... la Pentecôte ? – Je ne sais pas encore ce que je ferai.

d. N'oublie pas de préparer ton exposé .... la semaine prochaine.

e. Elle a acheté un gâteau .... l'anniversaire de Joseph.

f. En 1989 .... les fêtes du Bicentenaire, il y a eu beaucoup de spectacles organisés en France.

g. .... l'inauguration de la Grande Bibliothèque de France, ils prévoient d'inviter la presse internationale.

h. Qu'est-ce que vous faites .... les prochaines vacances ?

i. .... le week-end de l'Ascension, on a passé quelques jours à Cabourg.

j. La France s'est beaucoup industrialisée .... du XIXe siècle.

104 *Dans, en* ou *sur* ? Complétez les phrases suivantes.

✓ Exemples : Ils ont pris un crédit *sur* trois ans.
Dans quatre jours, leur maison sera habitable.
Elle a fait le tour de l'Espagne *en* une semaine.

a. Tu as appris à conduire .... quinze jours ?

b. C'est le printemps .... deux mois.

c. Peugeot a organisé une importante campagne publicitaire .... plusieurs mois.

d. Ils ont fait le tour de la Provence à bicyclette .... trois semaines.

e. Vous voulez me rendre visite .... quelques jours ? Avec plaisir !

f. Pourquoi ne pas programmer cette mission .... deux semaines ?

g. Elle quittera Paris .... juin prochain.

h. Ils ont dit qu'ils rentreraient .... un mois.

i. On pourrait organiser un plan d'aménagement de la ville .... cinq ans.

j. Il s'est engagé .... l'avenir.

G. Localisation d'une action dans le temps par rapport au moment où l'on s'exprime

105 Choisissez la bonne formule.

✓ Exemple : .... , je ferai du surf.

☐ l'année dernière   ☐ l'année suivante   ☒ l'année prochaine

a. Il a dit qu'il rentrerait tard .... des élections.

1 ☐ lundi dernier   2 ☐ hier   3 ☐ le lendemain

b. .... , nous partons en week-end à Nice.

     1 ☐ hier soir   2 ☐ demain soir   3 ☐ la veille au soir

c. Aline promet que .... , on se réunira.

     1 ☐ la semaine dernière   2 ☐ avant-hier   3 ☐ ce jour-là

d. .... nous étions tous dans votre maison de campagne.

     1 ☐ un mois auparavant   2 ☐ demain   3 ☐ dimanche prochain

e. Philippe a été malade ; nous avions dîné au restaurant ....

     1 ☐ hier   2 ☐ avant-hier   3 ☐ aujourd'hui

f. Ils vont certainement se marier ....

     1 ☐ samedi dernier   2 ☐ la semaine passée 3 ☐ cette année

g. Brigitte n'est pas allée au cinéma car, ... elle passait un examen.

     1 ☐ demain   2 ☐ lundi prochain   3 ☐ le lendemain

h. J'ai rendez-vous avec eux ....

     1 ☐ la veille   2 ☐ avant-hier   3 ☐ après-demain

i. On pensait que, ... ils seraient déjà partis.

     1 ☐ le mois dernier   2 ☐ demain   3 ☐ le surlendemain

j. .... , il s'était posé la même question.

     1 ☐ en ce moment   2 ☐ à ce moment-là   3 ☐ l'année prochaine

H. La simultanéité, l'antériorité ou la postériorité

106 **Utilisez** quand, lorsque, en même temps que, tant que, tandis que, alors que, au moment où, pendant que **dans les phrases suivantes.**

    ✓ Exemples: Il est arrivé **quand** (**au moment où** / **lorsque**) vous ne l'attendiez plus.
                 Michel a ouvert la portière **tandis que** (**en même temps que** / **alors que** / **pendant que**) je mettais le moteur en marche.

a. Je me lave .... il se rase.

b. Prenez la voiture .... je n'en ai pas besoin.

c. Il est tombé malade .... il y avait le plus de travail.

d. .... vous répondez au téléphone, je vais me laver les mains.

e. Sophie, qu'as-tu fait .... j'étais au cinéma ?

f. Mon père regarde les informations à la télé .... ma mère fait sa gymnastique.

g. .... vous lui avez téléphoné, il sortait de l'hôpital.

h. Elle est arrivée au rendez-vous .... il était sur le point de partir.

i. Il a commencé à pleurer .... le téléphone s'est mis à sonner.

j. Je vais balayer la cuisine .... tu finis la vaisselle.

107 **Remplacez les mots soulignés par les mots entre parenthèses et faites les transformations nécessaires.**

✓ Exemples : Elle a perdu ses clés <u>lorsque</u> nous nous sommes promenés ? (lors de)
▶ Elle a perdu ses clés *lors de notre promenade*.

Ils vous ont quittés <u>aussitôt qu'</u>ils ont bu leur café ? (sitôt)
▶ Ils vous ont quittés *sitôt leur café bu*.

a. Tu as grandi <u>pendant que</u> tu étais malade. (pendant)
....

b. Il a allumé la télévision <u>dès qu'</u>il est arrivé (dès)
....

c. Ils sont allés se coucher <u>aussitôt qu'</u>ils ont fini le repas. (sitôt)
....

d. <u>Lorsqu'</u>elles se sont rencontrées, elles avaient 28 et 32 ans. (lors de)
....

e. Le film a commencé <u>aussitôt que</u> la lumière s'est éteinte. (sitôt)
....

f. <u>Dès que</u> l'hôtel a ouvert, les estivants sont arrivés en grand nombre. (dès)
....

g. <u>Pendant que</u> nous discutions au café, vous avez visité le château. (pendant)
....

h. Il n'y avait plus personne dans les rues <u>lorsque</u> nous sommes rentrés. (lors de)
....

i. Elle a pris un coup de soleil <u>dès qu'</u>elle est arrivée sur la plage. (dès)
....

j. Ils ont passé leur examen <u>pendant que</u> les grosses chaleurs débutaient. (pendant)
....

108 **Complétez les phrases suivantes par :** *tout à coup/subitement/à ce moment-là/au même moment/immédiatement/tout de suite/sur-le-champ/aussitôt.*

✓ Exemple : *Tout à coup* le téléphone a sonné et il a décroché *sur-le-champ*.

a. Il lui a .... demandé si elle l'aimait et elle a .... répondu « Bien sûr, idiot ! »

b. .... le feu s'est déclaré ; il n'y avait personne dans les ateliers. Le voisin a .... appelé les pompiers.

c. .... il faisait nuit et .... tout le quartier s'est réveillé.

d. En plein sommeil, ... elle s'est réveillée mais elle s'est rendormie ....

e. Je lui ai .... proposé de déjeuner avec moi mais .... il s'est souvenu qu'il n'était pas libre ce jour-là.

f. Elle s'apprêtait à me raconter sa vie quand .... je me suis souvenue que je devais aller chez le dentiste. Je me suis .... excusée et je suis partie.

g. .... qu'il m'a montré sa photo, je l'ai reconnu : il n'avait pas changé.

h. Ils ont interrompu leur voyage de noces .... qu'ils ont appris le cambriolage de leur appartement.

i. Dès que tu auras les résultats, téléphone-moi .... ; surtout n'oublie pas.

j. Il faisait une belle journée d'été et .... la tempête s'est levée.

109 **Faites des phrases en utilisant** *avant, avant de*, **ou** *avant que*.

✓ Exemples: Elle est partie **avant d'**avoir goûté au dessert.
Ils ont quitté la salle **avant** la fin du film.
Avant que tu arrives, le facteur est passé.

a. Sonnez .... entrer !

b. Il faut qu'on vous avertisse .... il ne soit trop tard.

c. Il jouera très bien au ping-pong .... la fin de l'année.

d. Je passerai chez vous .... 20 heures.

e. Elle se faisait toute une joie de les revoir .... partir pour le Québec.

f. Il faut déménager .... le trimestre prochain.

g. Tu dois demander "Qui est là ?" .... ouvrir la porte !

h. Il faut qu'on change de voiture .... les vacances.

i. Réfléchis un peu .... répondre !

j. .... on déménage, j'ai quelques travaux à faire.

110 **Complétez les phrases avec :** *après, après que*, **ou** *une fois que*.

✓ Exemples: On ira dîner quelque part **après** la pièce.
Je comprendrai parfaitement **après que** (**une fois que**) tu m'auras expliqué.

a. Ils sont partis aussitôt .... avoir chargé la voiture.

b. Que ferez-vous .... vos études ?

c. Je ne comprends pas qu'on le garde dans l'entreprise .... l'erreur qu'il a faite.

d. Je te donnerai une réponse .... tu m'auras laissé réfléchir.

e. .... la pluie, le beau temps.

f. .... elles auront bien dansé, elles seront sûrement fatiguées.

g. J'ai longuement réfléchi .... avoir lu votre lettre.

h. Seriez-vous libre .... 16 heures ?

i. .... tout ce qu'il vous a dit, Nicolas ne voit plus comment vous convaincre.

j. Elles pourront faire du jardinage .... la pluie aura cessé.

111 **Choisissez la bonne formule pour obtenir une phrase cohérente.**

✓ Exemple: En france, les jours commencent à rallonger (ensuite/*après*/puis) le mois de février.

a. Que ferez-vous (une fois que/puis/plus tard) vous serez champion de France ?

b. Il visitera l'Italie et (après avoir/ensuite/à la suite), il fera de la peinture.

c. Elle a téléphoné à son médecin (puis/après/plus tard) elle est allée à son cabinet.

d. (Puis/Plus tard/À la suite de) sa chute, il est resté couché pendant une semaine.

e. (Ensuite/Après/Une fois que) vous m'aurez montré toutes vos toiles, j'en choisirai peut-être une.

f. (Plus tard/Après que/À la suite de) nous nous serons expliqués, je pense que les choses seront beaucoup plus claires.

g. (Puis/À la suite de/Une fois que) leur victoire, ils ont obtenu beaucoup d'autres matchs à disputer.

h. (Plus tard/Puis/Une fois que) je pourrai naviguer seul, je partirai pour les Antilles.

i. Réponds à ma question (une fois que/puis/par la suite) je te laisserai tranquille.

j. (Plus tard/À la suite de/Après) avoir pris un bain, elle se sentait beaucoup plus détendue.

Les indicateurs temporels

112 *Complétez le texte suivant en employant : à ce moment-là, au bout de, ça fait, dans, de... à, depuis, d'ici, en, encore, ensuite, il y a, jusqu'à, lorsque, pendant, pour.*

.... dix ans, les grands-parents d'Antoine vivaient dans un petit village de Provence. .... ils avaient atteint l'âge de la retraite, ils s'étaient installés pour se reposer mais .... quelques mois de repos total, ils avaient trouvé leur existence un peu vide. .... ils avaient fait des projets.

– .... quelques mois, viendront les beaux jours. On pourrait faire un petit séjour en Corse !

– Mais non .... presque un an que nous vivons ici et nous n'avons pas .... visité la région. Pourquoi ne partirions-nous pas .... la semaine à la découverte de la Camargue ?

– .... l'arrivée d'Antoine, nous avons le temps d'aller .... quelques jours à Nice. Je ne connais pas bien cette ville qui est paraît-il si jolie.

– Sois raisonnable, tu sais bien que .... mai .... octobre, la ville est envahie par les touristes. Nous irons plutôt .... automne.

.... Antoine est arrivé, il avait déjà organisé tout un programme .... ses vacances: .... un mois, il voulait prendre des cours de planche à voile et .... , au mois d'août, il irait rejoindre ses amis dans les Alpes .... la rentrée scolaire. Ses grands-parents auraient alors tout le temps de prévoir leurs activités .... l'année suivante.

V. LE SUBJONCTIF

IL FAUT QU'UNE PORTE SOIT OUVERTE OU FERMÉE.

A. Subjonctif présent ; morphologie

113 **Conjuguez les verbes au subjonctif présent.**

✓ Exemple : Il faut que tu **réagisses** ! (réagir)

Il faut que...

a. tu .... (choisir)
b. vous .... (comprendre)
c. nous .... (payer)
d. je .... (descendre)
e. madame Lepic .... (coudre)

f. nous .... (venir)
g. je .... (conduire)
h. les enfants .... (lire)
i. tu .... (se taire)
j. nous. .... (attendre)

114 **Remplacez le présent de l'indicatif par le présent du subjonctif.**

✓ Exemples : Tu sais ▶ ... que tu saches
Je me lève ▶ ... que je me lève

a. Je leur dis ....
b. Il plaît ....
c. Tu viens ....
d. Nous dormons ....
e. Tu vois ....

f. Nous payons ....
g. Je peux ....
h. Vous sortez ....
i. Elles s'en vont ....
j. Ils se plaignent ....

115 **Complétez avec *être* ou *avoir* au subjonctif présent.**

✓ Exemples : Je voudrais qu'il **soit** heureux.
Je ne voudrais pas que vous **ayez** mal.

a. Il faut que tu .... courageux.
b. Je ne crois pas qu'elle .... timide.
c. Vous n'admettez pas qu'ils .... des problèmes !
d. Je ne pense pas que vous .... raison.
e. Il se peut que tu n' .... besoin de rien.
f. Elle craint que nous (n') .... envie de partir.
g. Michel préfère que vous .... là.
h. Nous souhaitons qu'elle .... le premier rôle.
i. C'est vrai ! Il arrive que nous .... en retard.
j. Tu as peur que j' .... froid ?

116 Utilisez le tutoiement.

✓ Exemple : Il est préférable que *vous restiez*.
  ▶ Il est préférable que ***tu restes***.

a. Elle voudrait que vous alliez la rejoindre. ....

b. Il faut que vous partiez maintenant. ....

c. Les enfants attendent que vous leur répondiez. ....

d. Il serait plus raisonnable que vous voyiez un médecin. ....

e. J'aimerais que vous deveniez économe. ....

f. Elle souhaite que vous obteniez cet emploi. ....

g. Marie refuse que vous dormiez chez elle. ....

h. Il se peut que vous le connaissiez. ....

i. Il est préférable que vous buviez de l'eau. ....

j. Pourvu que vous me promettiez de ne rien dire. ....

117 Transformez les phrases selon le modèle.

✓ Exemple : Je voudrais partir/tu. ▶ Tu voudrais que je parte.

a. J'aimerais prendre le train./tu ....

b. Je souhaite sortir plus tôt./il ....

c. Nous aimerions parler le russe./elle ....

d. Vous voulez savoir la vérité./je ....

e. Tu préfères revenir en juillet./tes parents ....

f. Ils détestent discuter de politique./je ....

g. Tu ne veux pas vivre à l'étranger./il ....

h. Nous adorons sortir ensemble./tu ....

i. Elles préfèrent déjeuner au restaurant./son mari ....

j. Nous voudrions réunir nos amis pour le nouvel an./tu ....

B. Constructions suivies du subjonctif

118 Terminez les phrases suivantes en utilisant le subjonctif.

✓ Exemple : Nous irons à la montagne à condition qu'***il n'y ait pas trop de neige***.

a. Prévenez-la avant que.....................................

b. Peu importe l'heure, pourvu que ....

c. Elle gagne beaucoup d'argent bien que ....

d. Dites-lui où se trouve la pharmacie afin que.....................................

e. Je ne lui ai rien dit de peur que.....................................

f. La guerre risque d'éclater à moins que ....

g. Il faut trouver ce bouton pour que ....

h. Je ne peux pas sortir sans que.....................................

i. Nous achèterons des livres et des jeux de sorte que.....................................

j. Vous pouvez boire un verre en attendant que.....................................

119 **Réécrivez les phrases suivantes en utilisant les expressions entre parenthèses.**

✓ Exemple : Ce train a du retard. (il est rare que)
   ▶ Il est rare que ce train ait du retard.

a. Tu prends encore des cours de piano. (il est préférable que)

....

b. Je suis le meilleur. (il n'est pas évident que)

....

c. La grève se poursuit jusqu'à mardi.(il est inadmissible que)

....

d. Mes parents ne savent rien de cette affaire. (il est souhaitable que)

....

e. Deux et deux font cinq. (il est impossible)

....

f. Nos voisins entendent nos conversations. (il est probable que)

....

g. Elle ne va pas à cette réunion. (il est vraisemblable que)

....

h. Vous regardez un match de football à la télé. (il est rare que)

....

i. Cette femme me connaît. (il est étonnant que)

....

j. Tu préviens tes amis. (il est important que)

....

À votre tour d'écrire des phrases avec *il suffit que, il importe que, il faut que, il vaut mieux que, il arrive que.*

....

....

120 **Exprimer un souhait. Transformez les phrases selon le modèle.**

✓ Exemple : J'aimerais prendre une décision. (il)
   ▶ J'aimerais *qu'il prenne* une décision.

a. Tu voudrais connaître la réponse. (je)   Tu voudrais que je ....

b. Nous souhaiterions ouvrir un restaurant. (ils)   ....

c. Vous aimeriez conduire. (elle)   ....

d. Je désire rencontrer le directeur. (vous)   ....

e. Oscar aimerait regarder le tournoi de tennis. (nous) ....

f. Elle voudrait finir ce travail au plus vite. (je) ....

g. Je souhaiterais partir plus tôt. (elles)   ....

h. Patricia veut dormir ici.(tu)   ....

i. Nous aimerions faire le point. (il)   ....

j. Georges aimerait prendre des vacances. (je)   ....

121 Exprimer une obligation. Remplacez le verbe *devoir* par *il faut que* + subjonctif.

✓ Exemple : Tu dois écrire au directeur. ▶ *Il faut que tu écrives* au directeur.

a. Nous devons partir pendant plusieurs mois. ....

b. Ils doivent prendre ces médicaments tous les jours. ....

c. Je dois m'arrêter de fumer. ....

d. Vous devez vendre ce tableau. ....

e. Tu dois descendre la rue jusqu'au prochain feu rouge. ....

f. Delphine doit faire ses valises avant midi. ....

g. Nous devons cueillir les framboises. ....

h. Je dois recoudre cette chemise. ....

i. Vous devez insister pour être reçu. ....

j. Jacques et Solange doivent résoudre leurs problèmes. ....

122 Formulez les demandes à l'aide des expressions suivantes : *il est indispensable que, il est souhaitable que, il est important que, il faudrait que...*

✓ Exemple : ... aller parler au comptable.
▶ Il faudrait que tu ailles/vous alliez parler au comptable.

a. connaître l'informatique ....

b. avoir plusieurs années d'expérience ....

c. relire les comptes rendus de réunions ....

d. envoyer des rapports mensuels ....

e. traduire les textes de lois ....

f. répondre au téléphone ....

g. bien accueillir les visiteurs ....

h. être toujours souriant (e) ....

i. savoir prendre des initiatives ....

j. travailler rapidement ....

123 Exprimer un ordre. Répondez aux questions et suggestions suivantes comme dans les exemples.

✓ Exemples : Je peux dire à monsieur Durand de venir ? ▶ Qu'il vienne !
Les enfants aimeraient aller à la campagne dimanche. ▶ Qu'ils y aillent !

a. Madame Lubat voudrait vendre sa voiture. ....

b. Justine a très envie de chanter. ....

c. Mon oncle voudrait réfléchir avant de signer le contrat. ....

d. Je peux demander aux professeurs de vous téléphoner ? ....

e. Les Lambert préfèrent prendre le train. ....

f. Robert aimerait écrire. ....

g. Mademoiselle Bazin demande si elle peut partir. ....

h. Il veut absolument regarder cette vidéo. ....

i. Le ministre pense faire un discours cet après-midi. ....

j. Alex voudrait s'excuser. ....

124 **Exprimer une crainte. Faites des phrases à partir des éléments suivants.**

✓ Exemple : (faire erreur/vous) ▶ Je crains que vous (ne) fassiez erreur.

a. (vieillir mal/le vin) ▶ Tu crains que . . . .

b. (être rigoureux/l'hiver) ▶ Nous redoutons que . . . .

c. (ne pas tenir les engagements/vous) ▶ Ils ont peur que . . . .

d. (ne pas savoir répondre/Gilles) ▶ Je redoute que . . . .

e. (mordre/le chien des voisins) ▶ Le facteur a peur que . . . .

f. (subir une opération/il) ▶ Hélène appréhende que . . . .

g. (perdre mon pari/je) ▶ Mon frère redoute que. . . . .

h. (faire du bruit/nous) ▶ Nos parents craignent que. . . . .

i. (ne pas valoir grand-chose/ce tableau) ▶ L'expert a peur que. . . . .

j. (ne pas dire la vérité/tu) ▶ L'accusé appréhende que. . . . .

125 **Exprimer une éventualité. Réécrivez les phrases suivantes en utilisant les expressions** *il se peut que, il est possible que, il n'est pas impossible que.*

✓ Exemples : Je crois qu'elle est malade. ▶ Il se peut qu'elle soit malade.

Il doit y avoir des embouteillages. ▶ Il est possible qu'il y ait des embouteillages.

a. Nous pensons qu'il est trop jeune pour comprendre. . . . .

b. Il doit se sentir mal. . . . .

c. Je suppose qu'ils ne prennent pas l'autoroute. . . . .

d. Nous avons l'impression que ce chat craint le froid. . . . .

e. Tout laisse à penser que sa sœur devient folle. . . . .

f. J'imagine qu'on lui tend un piège. . . . .

g. Sans doute commettons-nous une erreur. . . . .

h. Je suis presque sûr qu'il viendra. . . . .

i. Il envisage de sortir un disque avant l'automne. . . . .

j. Je crois que ses chaussures sont trop petites. . . . .

126 **Reprenez les affirmations suivantes en introduisant un doute, une incertitude. Utilisez les expressions suivantes :** *ne pas croire que, douter que, ne pas être sûr(e) que, ne pas trouver que.*

✓ Exemple : François prendra certainement le train de nuit.
▶ Non, je ne suis pas sûr qu'il prenne le train de nuit.

a. Les journalistes ont sûrement raison. . . . .

b. Michel perd son temps avec cette histoire. . . . .

c. Thierry court le cent mètres en moins de dix secondes. . . . .

d. Nous tenons à la réalisation de ce projet. . . . .

e. Tu comprends parfaitement le chinois. . . . .

f. Le directeur du personnel est prévenu. . . . .

g. Il pleut beaucoup dans cette région. ....

h. Ces informations lui seront très utiles. ....

i. Ces pâtes cuisent en moins de dix minutes. ....

j. Le coupable est sévèrement puni. ....

127 **Que signifient ces phrases ? Indiquez s'il s'agit d'un souhait, d'une obligation, d'une appréciation, d'une éventualité ou d'une crainte.**

✓ Exemple : Il est indispensable qu'il soit là à cinq heures. (obligation)

a. J'aimerais que tu m'aides pour le déménagement. (............)

b. Je me réjouis que tu connaisses la nouvelle. (............)

c. Tu as peur que ta meilleure amie (ne) te trahisse. (............)

d. Elle aimerait que vous veniez plus souvent. (............)

e. Il est possible que l'on vende l'appartement. (............)

f. Il est nécessaire que les enfants dorment cet après-midi. (............)

g. Il faut que nous engagions un nouveau comptable. (............)

h. Nous craignons que les visiteurs (ne) salissent la moquette. (............)

i. J'adore qu'il fasse beau en hiver. (............)

j. Il se peut que je change d'avis. (............)

C. Emplois du subjonctif et de l'indicatif

128 **Associez les éléments pour en faire des phrases.**

✓ Exemple : Je regrette que tu ne puisses pas te joindre à nous.

a. Je regrette que

b. Il faut absolument que

c. Le président espère que

d. Nous sommes heureux qu'

e. Tu as peur qu'

f. Le ministre de la Culture souhaite que

g. Tu ne trouves pas que

h. Le professeur d'histoire n'accepte pas que

i. Vous pensez aux conséquences que

j. Je croyais que

1. je parte. J'ai un rendez-vous à trois heures.

2. elle obtienne ce poste.

3. il (n') y ait un tremblement de terre.

4. tu ne puisses pas te joindre à nous.

5. son Premier ministre résoudra le problème du chômage.

6. tu exagères !

7. ses élèves arrivent en retard.

8. l'Opéra Bastille soit un lieu populaire.

9. Dominique avait raison.

10. cela entraînera.

129 **Conjuguez les verbes entre parenthèses.**

✓ Exemples : Il est certain que ce projet **est** très ambitieux. (être)
Je préfèrerais que le témoin **soit** présent. (être)

a. Tu t'aperçois enfin que tu .... injuste de lui parler sur ce ton. (être)

b. Nous avons envie qu'il .... (revenir)

c. J'ai l'impression que nous .... déjà............ (se rencontrer)

d. Il est évident que vous seul............ prendre cette décision. (pouvoir)

e. Il est important qu'elle .... de cela. (se rendre compte)

f. Elle se plaint qu'il .... (ne pas faire beau)

g. L'ennui, c'est que nous .... déjà............ la commande. (envoyer)

h. J'aimerais qu'il .... cette télécopie avant son départ. (recevoir)

i. Mon directeur accepte que je .... deux semaines de vacances. (prendre)

j. Il paraît que Patrick .... gravement malade. (être)

130 **Terminez les phrases (attention à l'emploi des temps !)**

✓ Exemples : Il aimerait tellement que vous lui rendiez visite ! (subjonctif)
Vous savez bien que le directeur n'acceptera jamais. (indicatif)

a. Vous êtes sûr que ....

b. Il suffit que ....

c. Le ministre de l'Économie affirme que ....

d. Je trouve que ....

e. Les travailleurs immigrés craignent que ....

f. Mon voisin s'est aperçu que ....

g. Les enfants aimeraient que ....

h. Il est inadmissible que ....

i. Nous pensons partir avant que ....

j. Je pense que ....

Le subjonctif

131 *Conjuguez les verbes entre parenthèses.*

BOXE ET CINÉMA.

André: Il faut absolument que tu .... (venir) au match de boxe ce soir !

Bernard: Désolé, je ne peux pas. Sophie veut que j' .... (aller) au cinéma avec elle.

André: Ce soir Roger junior va écraser Juan Tiger. Ne me dis pas que tu .... (ne pas vouloir) voir ce combat !

Bernard: Je suis sûr que ce match .... (être) truqué !

André: Tu dis ça parce que tu as peur que Sophie (ne) .... (faire) la tête.

Bernard: Absolument pas. Je voudrais seulement que tu .... (comprendre) que la boxe ne m'intéresse pas tant que ça.

André: Ah bon ? mais tu ne ratais aucun match avant que vous .... (se rencontrer).

Bernard: Oui, eh bien, j'ai changé. Je pense que seuls les imbéciles .... (avoir) toujours les mêmes idées.

André: Imbécile ou pas, moi, j'y vais. Au fait, j'aimerais que tu me .... (dire) quel film vous allez voir.

Bernard: *Édith et Marcel*, un vieux film de Lelouch, mais je ne sais pas de quoi ça parle.

André: Moi, je sais. Et je ne suis pas sûr que ça te .... (plaire) c'est un film sur la boxe !

VI. LES CONSTRUCTIONS COMPLÉTIVES

IL FAUT QUE JEUNESSE SE PASSE.

A. Avec l'infinitif/l'indicatif

132 **Réécrivez ces phrases avec un infinitif.**

✓ Exemples : Je pense que je viendrai cette semaine. ▶ Je pense **venir** cette semaine.

Tu es certain que tu prendras le train ? ▶ Tu es certain **de prendre** le train ?

a. Tu crois que tu réussiras ton concours ? ....

b. Vous prétendez que vous êtes malade ? ....

c. J'espère que j'apprendrai vite l'italien. ....

d. Vos collègues pensent qu'elles termineront le courrier à temps ? ....

e. Pierre espère qu'il trouvera du travail rapidement. ....

f. Son mari est convaincu qu'il a raison. ....

g. Je suis sûre que j'ai perdu mes clés. ....

h. Nous croyons que nous arriverons vendredi soir. ....

i. Tu ne penses pas que tu exagères ? ....

j. Je suis persuadée que j'ai bon caractère. ....

133 **Transformez selon le modèle.**

✓ Exemple : Il pense partir pour les États-Unis. ▶ Il pense qu'il partira pour les États-Unis.

a. Les enfants disent être invités mercredi à un goûter. ....

b. Marianne est certaine d'être convoquée à l'oral. ....

c. Je pense vous accompagner en Italie. ....

d. Jean espère rejoindre sa femme en Sicile. ....

e. Mon directeur croit avoir toujours raison. ....

f. Tu es certain d'ouvrir ta librairie le mois prochain ? ....

g. Mes amis espèrent aller à Montpellier ce week-end. ....

h. Son frère pense obtenir un meilleur poste dans les mois à venir. ....

i. Je crois donner la bonne réponse. ....

j. M. Dumont dit jouer souvent aux cartes. ....

134 Répondez aux questions en utilisant l'infinitif et la négation.

✓ Exemples : Vous affirmez que vous n'êtes pas une voleuse ?
       ▶ J'affirme ne pas être une voleuse.

       Tu es certain que tu n'as pas froid ?
       ▶ Je suis certain de ne pas avoir froid.

a. Dominique admet-elle qu'elle ne dort pas beaucoup ? Elle...................................

b. Ces clients prétendent qu'ils ne parlent pas français ? Ils...................................

c. Tes parents ont l'impression qu'ils ne sont pas aimés ? Ils...................................

d. Votre ami avoue qu'il ne travaille pas beaucoup ? Il...................................

e. Tu assures que tu ne le connais pas ? Je...................................

f. Ta sœur est sûre qu'elle ne partira pas à Valparaiso ? Elle...................................

g. Tu es convaincu que tu ne refumeras plus ? Je...................................

h. Reconnais-tu que tu n'as pas un caractère très souple ? Je...................................

i. Vous êtes certaines que vous ne voulez pas un autre café ? Nous...................................

j. Les enfants soutiennent qu'ils n'ont pas sommeil. Ils...................................

B. Avec l'indicatif – Sujets différents

135 Faites des phrases à partir des éléments donnés (utilisez un sujet différent).

✓ Exemple : (penser)/Tu réussiras ton concours d'entrée à H.E.C.*
       ▶ Tes parents pensent que tu réussiras ton concours d'entrée à H.E.C.

a. (croire)/Le prix des cigarettes augmentera le mois prochain. ....

b. (savoir)/L'alcool est interdit aux mineurs. ....

c. (trouver)/Le temps passe trop vite. ....

d. (avoir l'impression)/On s'est trompé de chemin. ....

e. (espérer)/Il fera beau en Bretagne cet été. ....

f. (oublier)/Jean est en convalescence. ....

g. (se rendre compte)/Je n'ai plus rien à me mettre. ....

h. (annoncer)/Son frère se marie en juin prochain. ....

i. (constater)/Il a beaucoup grandi cette année. ....

j. (estimer)/Le taux de change du dollar va baisser. ....

* H.E.C. : Hautes Études Commerciales (grande école de commerce)

136 **Qu'en pensez-vous ? Introduisez votre réponse par :** *Je crois,*
Je pense, Je trouve, J'ai l'impression, J'ai le sentiment, Il me semble
que...

✓ Exemple : Que pensez-vous de l'école obligatoire jusqu'à 16 ans ?
        ▶ Il me semble que c'est raisonnable.

Que pensez-vous : ...

a. de la liberté de la presse ? ....

b. de la réforme du système éducatif ? ....

c. du nouveau calendrier scolaire ? ....

d. de la majorité à 18 ans ? ....

e. de la vignette* pour les motos ? ....

f. de la limitation de vitesse à 50 km/h en ville ? ....

g. de l'interdiction d'accès des magasins d'alimentation aux chiens ? ....

h. de l'ouverture des grandes surfaces** le dimanche ? ....

i. du port de la ceinture de sécurité à l'arrière des voitures ? ....

j. de l'examen du permis de conduire à 18 ans ? ....

* vignette : taxe sur les véhicules à moteur
** grandes surfaces : supermarchés

137 **En tenant compte des indications temporelles,**
mettez les verbes entre parenthèses au temps qui convient.

✓ Exemple : Tu dis que tu (aller) *iras* en Corse l'été prochain.

a. Je pensais que vous (jouer) .... plus souvent au basket quand vous habitiez dans
   le Sud.

b. La semaine dernière, j'ai découvert que les enfants ne (connaître) .... pas leur
   adresse.

c. Ma mère m'a prévenue qu'elle (rentrer) .... à Paris lundi prochain.

d. Pourrez-vous rappeler à Mme Lepage que nous (se rencontrer) .... il y a deux
   mois ?

e. Je t'ai déjà dit qu'il (faire) .... souvent frais au mois d'avril.

f. Nous avons appris que Jacques (perdre) .... son père la semaine dernière.

g. Paul m'avait promis qu'on (finir) .... avant 20 heures et il est déjà 20 heures 30.

h. Je suis certaine que tu (rencontrer) .... l'âme sœur cette année.

i. J'espère que vous (venir) .... à notre fête le week-end prochain.

j. Mon père pense qu'il (prendre) .... sa retraite à la fin de l'année.

C. Avec le subjonctif

138 **Mettez le verbe entre parenthèses au subjonctif présent.**

✓ Exemple : Mes enfants adorent que j'(aller) *aille* avec eux au MacDonald.

a. Vous voulez qu'on (faire) .... un beau voyage cet été ?

b. Est-ce que tu t'attendais à ce qu'elle (obtenir) .... son permis de conduire si vite ?

c. Je me moque qu'ils (venir) .... au cinéma avec nous.

d. Ma mère juge mal que Michel ne (répondre) .... pas à ses lettres.

e. Ils souhaitent simplement que leurs amis (être) .... drôles.

f. J'aimerais que nous (analyser) .... mieux la situation.

g. Je ne comprends pas que vous (poursuivre) .... vos études si longtemps.

h. Elle ne nie pas qu'ils (avoir) .... beaucoup de travail.

i. Tu ne regrettes pas qu'il (pleuvoir) .... depuis ce matin ?

j. On n'a pas le sentiment que tu (vouloir) .... vraiment changer.

139 **Reformulez les conseils suivants en utilisant *Il faut que*...**

✓ Exemples : Va voir ce film.▶ Il faut que tu ailles voir ce film.

Vous devez partir de bonne heure
▶ Il faut que vous partiez de bonne heure.

a. Vous devez apprendre votre numéro de code par cœur. ....

b. Emmenons mes neveux au musée du jouet. ....

c. Elles doivent faire des courses pour le week-end. ....

d. Je dois passer à la banque. ....

e. Prenez le métro, vous arriverez à l'heure. ....

f. On doit aller chez le coiffeur. ....

g. Nous devons répondre à nos amis belges. ....

h. Les voisins doivent terminer leurs travaux rapidement. ....

i. Tu dois réfléchir avant de répondre. ....

j. Propose à tes amis de venir à la maison demain soir. ....

140 **Faites des phrases avec les éléments donnés.**

✓ Exemple : Vous êtes furieux ; votre voiture est en panne./Je
▶ Je suis furieux que ma voiture soit en panne.

a. Vous êtes heureux ; les vacances s'annoncent bien./Nous ....

b. Tu es enchantée ; je viens faire de la voile avec toi./Tu ....

c. On regrette ; Jean restera à l'hôpital jusqu'à la semaine prochaine./On ....

d. Nous sommes déçus ; il pleut./Nous ....

e. Vous êtes désolés ; nous ne sommes pas libres mercredi prochain./Nous ....

f. On est étonné ; tu ne fais plus de natation./On ....

g. Je suis fâchée ; Jacques ne va plus aux Puces le samedi matin./Vous ....

h. J'ai peur ; tu auras des ennuis avec ton directeur./Je ....

i. Je regrette ; mes parents n'ont plus leur maison de campagne./Elle ....

j. Ils sont ravis ; leur cousin viendra demain./Ils ....

141 **Dites le contraire ou répondez par une phrase négative.**

✓ Exemple : Tu trouves que c'est un bon film ?
    ▸ Je ne trouve pas que ce soit un bon film.

a. Marie admet que tu as toujours raison.   Elle ....

b. Tu crois que Nicolas fait des progrès en anglais ? Je ....

c. Les instituteurs admettent que les enfants sont fatigués. Ils ....

d. Je pense qu'il apprendra tout cela un jour.   Je ....

e. Tu prétends que Philippe Djian écrit ses romans
d'un seul jet ?   Je ....

f. Il comprend que les jeunes veulent changer le monde ? Il ....

g. Je trouve que Catherine maigrit beaucoup.   Je ....

h. Tes amis pensent que tu es trop égoïste.   Ils ....

i. Les touristes ont l'impression que les Français font
plus d'efforts ?   Ils ....

j. J'estime que Vincent sort trop souvent seul.   Je ....

142 **Reformulez les conseils suivants.**

✓ Exemple : Les enfants doivent prendre l'air. / Il faut que
    ▸ Il faut que les enfants prennent l'air.

a. Le facteur doit distribuer le courrier avant 11 heures.
   Il est obligatoire que ....

b. Cette patiente ne doit pas subir de choc émotionnel.
   Il est essentiel que ....

c. Les coureurs doivent franchir la ligne d'arrivée le plus rapidement possible.
   Il est important que ....

d. Vous ne devez pas déclarer les prestations familiales comme revenu.
   Ce n'est pas la peine que ....

e. Nous devons nous brosser les dents au moins deux fois par jour.
   Il est normal que ....

f. Elle doit réussir son examen de biologie.
   Il est souhaitable que ....

g. Nous devons éteindre la lumière.
   Il est temps que ....

h. On devrait proposer à Philippe de jouer au tennis avec nous.
   Il suffit que ....

i. Vous n'avez pas besoin de sonner avant d'entrer.
   Il est inutile que ....

j. Nous devons absolument donner une réponse avant vendredi.
   Il est urgent que ....

143 **Donnez votre opinion sur les sujets suivants à partir des éléments fournis.**

✓ Exemple : Que pensez-vous de la déclaration des droits de l'enfant. / défendre
   ▶ Je suis heureuse qu'on défende les enfants.

Que pensez-vous...

a. du droit de vote des femmes ? / s'exprimer
   Je suis enchanté(e) que...

b. de la mort de Serge Gainsbourg ? / mourir
   Je suis peiné(e) que...

c. de la défaite des Français lors du match de rugby contre l'Angleterre. / remporter
   Je regrette que..

d. des lecteurs de disques compacts ? /devenir populaires
   Je trouve formidable que..

e. du vidéodisc ? / se vendre si cher
   C'est dommage que..

f. du minitel* ? /n'être pas gratuit
   Il est regrettable que...

g. du T.G.V. Atlantique ? / rouler si vite
   Je suis surpris(e) que...

h. de la 7** ? /n'émettre pas tous les jours
   C'est étrange que...

i. de la réforme scolaire ? / produire les résultats attendus
   Je ne pense pas que..

j. de la publicité sur les alcools ? / influencer trop la population
   Je crains que...

* Le minitel : petit ordinateur relié au téléphone et permettant d'accéder à différents services d'information, comme par exemple l'annuaire téléphonique.
** La 7 : chaîne de télévision française à dominante culturelle.

144 **Exprimez un souhait, donnez un ordre. Reformulez les phrases suivantes.**

✓ Exemple : Elle demande à sa fille de rentrer avant minuit.
   ▶ J'aimerais que tu rentres avant minuit.

a. Vous avez envie d'aller dîner au restaurant avec Christine.
   J'ai envie qu'on...

b. Jeanne permet à son frère d'emprunter sa voiture.
   Elle permet qu'il..

c. Le général commande à ses soldats de monter la garde jusqu'à midi.
   Il ordonne qu'ils..

d. Suzanne aura de mauvais résultats ; ses parents s'y attendent.
   Ils s'attendent à ce qu'elle...

e. Le maître interdit à Christian de sortir pendant la récréation.
   Je refuse que tu...

f. Catherine attend ; nous ne lui avons pas encore répondu.

Elle attend que nous ....

g. On lui demande de fermer la porte à cause des courants d'air.

Je demande qu'il ....

h. Son mari doit partir en voiture ; elle préfère un voyage en train.

Je préfère que tu ....

i. Votre collègue est malade. Vous lui souhaitez de se rétablir rapidement.

Je souhaite que vous ....

j. Le directeur refuse à son assistante de prendre une journée de congé.

Je n'accepte pas que vous ....

D. Indicatif, subjonctif ou infinitif

145 **Complétez les phrases suivantes par l'indicatif ou le subjonctif.**

✓ Exemples : venir/Je suppose qu'il **viendra** la semaine prochaine.
être/Ils ne pensent pas que vous **soyez** accepté pour ce poste.

a. prendre/Elle refuse que ses enfants .... des cours particuliers.

b. avoir/On annonce qu'il y .... beaucoup de circulation vendredi soir.

c. ouvrir/Sais-tu que les banques............. du lundi au samedi ?

d. faire/Vous ne trouvez pas qu'il .... très chaud aujourd'hui ?

e. apporter/Mon oncle souhaite que vous .... votre caméra vidéo.

f. oublier/Je suis touchée que vous n' .... pas mon anniversaire la semaine dernière.

g. vieillir/Elle a peur que sa mère .... mal.

h. disparaître/La presse a confirmé que deux journalistes .... dans la catastrophe aérienne de mardi dernier.

i. organiser/Léopoldine doute que nous .... une fête pour elle le mois prochain.

j. s'améliorer/Les syndicats ont reconnu que la situation .... depuis quelques années.

146 **Faites des phrases en reliant les éléments suivants.**

✓ Exemple : Elle exige que son mari lui téléphone au bureau.

a. Elle exige	1. de mettre la table.
b. Le Premier ministre doute	2. que tu réussiras à te libérer.
c. Les enfants, je vous demande	3. que ça finira mal.
d. Tu ne penses pas	4. de faire des efforts trop importants.
e. J'espère	5. que son projet soit accepté.
f. Juliette Gréco accepte	6. de chanter encore en public.
g. Nous regrettons	7. que son mari lui téléphone au bureau.
h. Son médecin lui a interdit	8. que Charlotte a beaucoup de volonté.
i. Il souhaite	9. d'être partis à cette heure-là.
j. Il est certain	10. que les enfants s'endorment très vite.

147 **Faites correspondre questions et réponses**

✓ Exemple : Croyez-vous qu'ils comprennent la pièce ?
   ◆ À mon avis, les dialogues sont un peu difficiles.

a. Croyez-vous qu'ils comprennent la pièce ?

b. L'absence de Sophie est étrange !

c. Pourquoi ont-ils l'air si triste ?

d. Qu'allons-nous faire ?

e. Pourquoi tes parents arrivent-ils si tard ?

f. Qu'attends-tu de moi ?

g. Que faut-il faire pour voter ?

h. Est-il possible qu'ils aient oublié notre adresse ?

i. Pierre sera là ?

j. Veux-tu que je vienne avec toi ?

1. Il faut que nous prenions le premier train pour Toulon.

2. À mon avis, les dialogues sont un peu difficiles.

3. Pourtant, je ne crois pas qu'elle soit malade.

4. Il est probable que leur voiture a refusé de démarrer.

5. Ce n'est pas utile, je préfère rester seul.

6. Il est obligatoire que tu t'inscrives sur les listes électorales.

7. Je voudrais que tu m'aides à déménager.

8. Non, je ne pense pas qu'il vienne.

9. Je ne sais pas ; je n'ai pas l'impression qu'ils aient des ennuis.

10. C'est probable ; Michel est très distrait en ce moment.

148 **Passez du tutoiement au vouvoiement de façon à distinguer l'indicatif du subjonctif.**

✓ Exemple : Il faudrait que tu manges mieux. ◆ Il faudrait que vous mangiez mieux.

a. Je ne pense pas que tu te reposes suffisamment. ....

b. Il me semble que tu travailles trop. ....

c. J'ai l'impression que tu t'énerves très vite. ....

d. Je doute que tu nages assez. ....

e. Il faudrait que tu joues au tennis plus souvent. ....

f. Je crois que tu ne profites pas assez de ta jeunesse. ....

g. Je crains que tu (ne) tombes malade. ....

h. J'ai peur que tu (ne) te soignes mal. ....

i. Je souhaite que tu t'amuses davantage. ....

j. J'aimerais que tu te changes les idées. ....

Les constructions complétives

 Conjuguez les verbes entre parenthèses ou laissez-les à l'infinitif.

MA CHÈRE DOMINIQUE

Je suis très heureuse que tu .... (1) avec un homme merveilleux. Dans ta lettre, tu m'as écrit qu'il .... (2) beau, intelligent, plein d'humour mais je ne crois pas que tu me .... (3) ce qu'il fait.

Je suis convaincue qu'il .... (4) un métier passionnant. J'aimerais que vous m' .... (5) à passer un week-end avec vous car j'ai hâte que tu me le .... (6)

J'imagine que vous n' .... (7) pas beaucoup de temps libre mais je ne désespère pas que tu .... (8) à trouver un arrangement possible.

J'espère que tu me .... (9) dans la semaine. En attendant je vous souhaite de .... (10) des moments agréables. Je te rappelle que je .... (11) actuellement chez Sophie. Voici son numéro de téléphone : 64.92.25.48

Je préfère que tu m' .... (12) après 20 heures.

À très bientôt. Amicalement.

Valérie

1. vivre
2. être
3. dire
4. avoir
5. inviter
6. présenter
7. avoir
8. parvenir
9. téléphoner
10. passer
11. habiter
12. appeler

VII. LE CONDITIONNEL

AVEC DES «SI» ON METTRAIT PARIS EN BOUTEILLE.

A. Conditionnel présent ; morphologie

150 Voici des verbes au futur ; écrivez-les au conditionnel présent.

✓ Exemple: Vous voudrez partir. ▶ Vous **voudriez** partir.

a. Tu les croiras. ▶....................................
b. Elles finiront seules. ▶...........................
c. Je serai malade. ▶.................................
d. On ira. ▶..
e. Vous saurez cela. ▶...............................

f. Nous aurons peur. ▶......................
g. Il jouera. ▶.............................
h. Vous lirez. ▶...........................
i. Tu partiras. ▶.........................
j. Ils pourront rire. ▶......................

151 Mettez les verbes suivants au conditionnel présent
à la personne indiquée.

✓ Exemple: Tu (aller) ▶ Tu **irais**.

a. Je (croire)........... tout.
b. Nous (comprendre)...........
c. Tu (voir)........... mieux.
d. Elles (faire)........... de la voile.
e. Vous (avoir)........... tort.

f. On (être)........... bien.
g. Ils (aller)........... plus vite.
h. Je (savoir)........... vous le dire.
i. Elle lui (dire)........... de partir.
j. Je (envoyer)........... les résultats.

152 Complétez, selon le cas, par l'imparfait ou le conditionnel
présent.

✓ Exemple: Tu voulais. ▶ Tu voudrais.

a. .... ◀ Je devrais.
b. Elle allait. ▶...........
c. .... ◀ Nous terminerions.
d. Vous voyiez. ▶...........
e. .... ◀ Elles courraient.

f. Tu cueillais. ▶...........
g. .... ◀ On dormirait.
h. Vous finissiez. ▶...........
i. .... ◀ Ils joueraient.
j. Nous riions. ▶...........

153 **Complétez les phrases suivantes en mettant les verbes entre parenthèses au conditionnel présent.**

✓ Exemple: (vouloir) Je **voudrais** une baguette bien cuite s'il vous plaît.

a. (être)...........-vous le professeur Abrar?

b. (pouvoir)...........-tu me dire l'heure?

c. (avoir)...........-vous la monnaie de 10 francs?

d. (savoir)...........-elles voyager seules en Inde?

e. (faire) Nous allons au cinéma; ça te........... plaisir de venir avec nous?

f. (devoir) On........... se lever plus tôt le matin.

g. (voir) Sans cette brume, nous........... mieux la côte.

h. (falloir) Il........... travailler davantage!

i. (comprendre) Je........... mieux le fonctionnement de ce magnétoscope avec le mode d'emploi.

j. (aimer) Vos amis canadiens...........-ils passer Noël à Nice?

154 **Écrivez les verbes entre parenthèses au conditionnel présent.**

✓ Exemple: Martin (donner) **donnerait** tout pour avoir une voiture de sport.

a. Je (vouloir)........... réussir ce concours.

b. On (préférer)........... rentrer à la maison rapidement.

c. Sans les enfants, vous (prendre)........... une semaine de vacances à Rome.

d. Pourquoi Paul n'(aller)........... pas faire un stage de tennis en Dordogne?

e. Si on pouvait, tous les deux, on (faire)........... le tour du monde.

f. On (pouvoir)........... proposer à Jacqueline de louer une maison à Ajaccio.

g. À la campagne, nous (dormir)........... plus longtemps qu'à Paris.

h. Les automobilistes (devoir)........... emprunter les transports en commun plus souvent.

i. Il (falloir)........... réduire la circulation dans les villes.

j. Le ciel (être)........... toujours bleu.

155 **Complétez par le conditionnel présent.**

On peut toujours rêver d'une île qui (se trouver) **se trouverait** en plein milieu d'une mer chaude. La plage (être).......:.... de sable blanc et au centre, (s'étendre)........... une forêt tropicale. En approchant on (entendre)........... des rythmes mélodieux car dans cette île (vivre)........... une tribu un peu oubliée. Ces «sauvages», tels qu'on (pouvoir)........... les appeler, (connaître)........... un art de vivre inconnu de nous. Ils (passer)........... leur temps à se baigner et à dormir à l'ombre des palmiers. Ils (se nourrir)........... de fruits qu'ils (trouver)........... dans la partie haute de la forêt. Pourquoi (vouloir)...........-vous que ces «pauvres malheureux» soient envieux de notre vie civilisée?

B. Conditionnel présent ; emplois

156 **Vous formulez une demande poliment. Retrouvez la situation correspondante.**

✓ Exemple : Vous êtes perdu dans Lyon. ◗ Auriez-vous un plan de la ville?

a. Vous êtes perdu dans Lyon.

b. Vous cherchez une rue.

c. Vous n'avez pas de montre.

d. Vous demandez un livre de Tahar Ben Jelloun.

e. Vous cherchez un restaurant.

f. Vous n'avez pas d'allumettes.

g. Vous cherchez un taxi.

h. Vous avez perdu votre sac.

i. Vous invitez vos amis à dîner.

j. Vous demandez à votre collègue de vous remplacer.

1. Auriez-vous du feu?
2. Pourriez-vous m'indiquer une station de taxi?
3. Voudriez-vous me dire l'heure?
4. Auriez-vous *La Nuit sacrée?*
5. Auriez-vous un plan de la ville?
6. Connaîtriez-vous un petit restaurant sympa?
7. Pourriez-vous venir lundi soir?
8. Te serait-il possible de me remplacer demain matin?
9. Tu n'aurais pas vu mon sac?
10. Connaîtriez-vous la rue du Chat-qui-pêche?

157 **En employant le conditionnel, imaginez les questions dont voici les réponses.**

✓ Exemple : Tu pourrais venir dimanche avec nous? ◗ Désolée, dimanche je ne suis pas libre.

a. .... ? La rue de Longchamp, c'est la deuxième à droite.

b. .... ? Bien sûr, il est midi dix.

c. .... ? Je regrette, je n'ai plus de croissants au beurre.

d. .... ? D'accord, mais sois à l'heure au rendez-vous.

e. .... ? Veuillez patienter, M. Dufour est en ligne.

f. .... ? Non merci, j'ai horreur des sardines.

g. .... ? Moi, je préférerais aller en Égypte.

h. .... ? À ta place, je changerais de travail.

i. .... ? Excusez-moi, voilà votre monnaie.

j. .... ? Avec plaisir. J'adore aller au théâtre.

158 **Exprimez les hypothèses suivantes à partir des éléments donnés.**

✓ Exemple: S'il faisait beau, nous (déjeuner) ***déjeunerions dans le jardin.***

a. Si j'avais beaucoup d'argent, je (voyager)...

b. Si tu écoutais la radio, tu (savoir)...

c. Si vous preniez l'avion, vous (arriver)...

d. Si on était plus courageux, on (faire)...

e. Si les jeunes avaient le pouvoir, ils (choisir)...

f. Si Isabelle travaillait, elle (être)..

g. Si tu étais libre dimanche matin, on (pouvoir) ....

h. Si je faisais des progrès en espagnol, je (partir)..........................

i. Si vous connaissiez Juliette Binoche, vous (dire) ....

j. Si nous avions quelques projets, nous (répondre) ....

159 **Terminez les phrases suivantes en utilisant des verbes au conditionnel présent.**

✓ Exemple: Si j'étais libre ce soir, *je viendrais avec toi au cinéma*.

a. Si tu rencontrais Christophe Lambert, tu...................................

b. si vous aviez cinq ans de moins, vous ....

c. Si on habitait à Paris, on ....

d. Si tes sœurs voyageaient plus souvent, elles ....

e. Si tu prenais tes vacances en août, tu ....

f. Si je gagnais au loto, je ....

g. Si Pierre savait peindre, il ....

h. Si la France était sous les tropiques, les Français.....................

i. Si tu avais plus de temps, tu ....

j. Si j'achetais cette maison, vous..

160 **Suggérer une idée, formuler un reproche.**
Remplacez ces impératifs par les verbes *pouvoir*, *devoir*, *falloir* au conditionnel présent.

✓ Exemples: Reste tranquille! ▶ Tu **devrais rester** tranquille.

Venez avec nous! ▶ **Il faudrait venir** avec nous.
Vous pourriez venir avec nous.

a. Partons immédiatement!   ....

b. Travaille davantage!   ....

c. Dépêchez-vous!   ....

d. Remercie la vendeuse!   ....

e. Demandez à parler à Mme Dupuy.   ....

f. Louons une voiture à l'aéroport.   ....

g. Téléphone à l'hôtel pour réserver une chambre. ....

h. Conduisez plus vite, je suis en retard. ....

i. Répondons au courrier.   ....

j. Prends des notes pendant la conférence. ....

161 Ces journalistes restent prudents. Transformez leurs informations sur le modèle suivant.

✓ Exemple : On suppose que le chômage *diminuera* le mois prochain.
  ▶ D'après les informations que nous avons, le chômage *diminuerait* le mois prochain.

a. On pense que le calme reviendra dans les prisons. ....

b. On imagine que la caissière est complice dans le hold-up. ....

c. On croit que les vacanciers seront plus nombreux cette année. ....

d. On suppose que le dollar baissera dans les mois à venir. ....

e. On prévoit que le trafic aérien sera perturbé cette nuit. ....

f. On pense que le Premier ministre atterrira à Washington ce soir. ....

g. Il est vraisemblable que le beau temps revienne la semaine prochaine. ....

h. On pense que la mentalité française change à propos du mariage. ....

i. On imagine que le commerce extérieur se développera prochainement. ....

j. Il est probable que le calendrier scolaire sera réétudié. ....

162 Complétez par le futur ou le conditionnel présent.

✓ Exemples : Je sais qu'il (venir) *viendra*.
  Vous aviez dit qu'elles (réussir) *réussiraient* leur bac cette année.

a. Tu m'avais promis qu'on (voir)........... la mer de notre chambre.

b. La météo prévoit que le soleil (briller)........... dans le Sud-Est.

c. Les voisins ont compris que le propriétaire (augmenter)........... les loyers bientôt.

d. Je lui assure qu'elle (retrouver)........... sa valise aux objets trouvés.

e. Vous pensiez que les livreurs (apporter)........... le canapé le jour même?

f. Sais-tu que la boulangerie (fermer)........... le mercredi à partir de la semaine prochaine?

g. Je ne croyais pas qu'Antoine (apprendre)........... si vite à lire.

h. Nicolas a su qu'on (partir)........... en avion et non en train. Il en était ravi!

i. Vous dites que vous (être)........... absent en août prochain?

j. On a décidé que les enfants (étudier)........... le russe en première langue.

163 Préparatifs de fête. Répondez aux questions d'après l'exemple.

✓ Exemple : Pierre fêtera son anniversaire ? ▶ Oui, il a dit qu'il le fêterait avec nous.

a. Il recevra ses amis chez lui ? ▶ Oui, il a dit qu'il ....

b. Sophie préparera les desserts ?...

c. Jean arrivera à l'heure ? ....

d. Les enfants seront-ils sages ?..

e. Vous ferez une raclette au fromage ?..

f. Tu achèteras du vin du Jura ?..

g. On invitera aussi Marie ?..

h. Vous mettrez la table sous la véranda ?...

i. J'offrirai le cadeau à Pierre ?..

j. Vous commanderez les plats à la charcuterie?...

Le conditionnel

 Conjuguez les verbes entre parenthèses.

REPORTAGE DANS UN BUREAU DE TABAC

– Madame, excusez-moi; vous venez d'acheter un billet de tac-o-tac. Pensez-vous que ce soit votre jour de chance ?

– Évidemment, d'ailleurs, si je ne le pensais pas, je (ne pas jouer) ....

– C'est vrai. Alors si au tirage, ce soir je crois, vous déveniez une des heureuses gagnantes, que (faire) ....-vous ?

– Je (partir)............ en voyage ou je (s'acheter)............ la maison de mes rêves.

(S'adressant à un client qui remplit une grille de loto.)

– Pardon, monsieur. Vous jouez au loto : alors, si vous gagnez, que (changer)............-vous à votre vie ?

– Oh, jeune homme, vous êtes bien naïf. Sachez que je ne joue jamais au loto. C'est pour ma sœur qui ne sort jamais de chez elle.

– Alors, votre sœur, que (faire) .... -t-elle ?

– Elle (s'offrir) .... enfin un piano neuf, elle (reprendre) .... le conservatoire de musique et elle (devenir) .... l'artiste qu'elle a toujours rêvé d'être.

– Et vous jouez régulièrement pour votre sœur ?

– Oui, si je ne portais pas sa grille de loto au tabac chaque semaine, elle me (mettre) .... à la porte de chez elle. Voilà ce que j'y (gagner) .... !

(Le client s'en va).

VIII. LE DISCOURS RAPPORTÉ

DIS-MOI QUI TU FRÉQUENTES, JE TE DIRAI QUI TU ES.

A. Formes directe et indirecte (affirmation, interrogation)

165 Retrouvez les phrases à la forme directe.

✓ Exemple : Philippe dit qu'il a perdu son stylo. ▸ J'ai perdu mon stylo.

a. La radio annonce qu'il va pleuvoir. ....

b. Brigitte prétend qu'elle n'a jamais vu cet homme. ....

c. Ton grand-père affirme qu'il va bien. ....

d. Mes amis disent que c'est la saison des amours. ....

e. Je pense que tu as raison. ....

f. Les journalistes estiment qu'ils ne peuvent pas faire leur travail. ....

g. Emmanuel nous dit que son vol vient d'être annulé. ....

h. Les élèves pensent que vous ne les écoutez pas. ....

i. Elle dit qu'elle est très heureuse avec lui. ....

j. Anne me dit toujours qu'elle voudrait venir me voir. ....

166 Écrivez les réponses du touriste interviewé.

✓ Exemples : Vous connaissez la pyramide du Louvre ?
   (oui) ▸ Il dit qu'il connaît la pyramide du Louvre.
   (non) ▸ Il répond qu'il ne connaît pas la pyramide du Louvre.

a. Vous savez où se trouve la Grande Arche ?
   (non) ....

b. Vous êtes allé au Centre Georges Pompidou ?
   (oui) ....

c. Vous avez pris le métro à Paris ?
   (oui) ....

d. Vous avez visité la Villette ?
   (non) ....

e. Vous avez vu un film à la Géode ?
   (oui) ....

f. Vous êtes monté sur la tour Eiffel ?
   (oui) ....

g. Vous avez vu un spectacle à l'Opéra Bastille ?

(non) ....

h. Vous avez aimé Montmartre ?

(oui) ....

i. Vous avez skié dans les Alpes ?

(non) ....

j. Vous avez goûté la fondue savoyarde ?

(oui) ....

167 **Que dit-elle ? Transformez les phrases suivant le modèle.**

✓ Exemples : On adore Tintin. ▶ Elle dit qu'on adore Tintin.

Ne fermez pas la porte ! ▶ Elle demande de ne pas fermer la porte.

a. Il fait beau.   ....

b. Vous n'aimez pas Gauguin !   ....

c. J'ai besoin de vacances.   ....

d. Il y a eu un accident sur l'autoroute du Sud.   ....

e. Écoutez la radio !   ....

f. On a retrouvé l'actrice disparue.   ....

g. N'ouvrez pas les fenêtres !   ....

h. Tu as toujours de beaux yeux.   ....

i. Traduisez ce qu'il dit !   ....

j. Ne rentrez pas trop tard !   ....

168 **Transformez d'après le modèle.**

✓ Exemples : Rendez les livres avant le 15 octobre !
     ▶ Le bibliothécaire demande de rendre les livres avant le 15 octobre.

Ne mangez pas avec vos doigts !
     ▶ La mère demande à ses enfants de ne pas manger avec leurs doigts.

a. Ne faites pas de bruit après 22 heures !

▶ Le concierge recommande ....

b. Achète ton billet à l'avance !

▶ Paul me conseille ....

c. Respirez plus profondément !

▶ Le médecin vous demande...

d. Prenons ma voiture pour aller à la piscine !

▶ Marianne nous propose...

e. Suivez-moi !

▶ Le directeur me prie ....

f. Buvons un verre avant de sortir !

▶ Tu me proposes ....

g. Aidez-le !

▶ Nous vous supplions ....

h. Ne me dérange pas aujourd'hui !
  ◗ Ton père te demande ....
i. Ne prenez pas le métro seule après 23 heures !
  ◗ Ton amie m'invite à ....
j. Attendez-moi ici !
  ◗ L'interprète m'autorise..

169 **Réécrivez la question.**

✓ Exemples : Qu'est-ce que tu prends ? ◗ Je te demande *ce que* tu prends.

Ils arrivent à midi ? ◗ Je demande *s'*ils arrivent à midi.

a. Vous allez souvent au concert ? ◗ Je vous demande ....
b. Qu'est-ce que Sophie a décidé ? ◗ Je te demande ....
c. Tu prends le train ou l'avion ? ◗ Je te demande..
d. Vous parlez l'italien ? ◗ Je vous demande ....
e. Qu'est-ce que tu as fait de ma valise ? ◗ Je te demande..
f. Vous m'accompagnez à l'aéroport ? ◗ Je vous demande ....
g. Tu as réservé ta place sur le T.G.V. ? ◗ Je te demande..
h. Est-ce que vous lisez votre horoscope chaque semaine ? ◗ Je vous demande ....
i. Qu'as-tu oublié ? ◗ Je te demande..
j. Qu'ont-elles décidé pour dimanche ? ◗ Je vous demande ....

170 **Trouvez les questions.**

✓ Exemple : Aimez-vous Matisse ? ◗ Il demande si vous aimez Matisse.

a. .... ? Elle demande qui vous êtes.
b. .... ? Il demande quelle est votre profession.
c. .... ? Nous nous demandons quand vous lisez.
d. .... ? Je demande ce que tu fais ce soir.
e. .... ? Il demande si nous voulons du café.
f. .... ? Il demande à qui tu téléphones.
g. .... ? Je demande ce que tu écris.
h. .... ? Elle demande si on a une réservation.
i. .... ? Elle demande où vous travaillez.
j. .... ? Il demande combien coûte le billet d'avion.

171 **Rapportez les interrogations de votre voisin.**

✓ Exemple : Vous êtes français ? ◗ Il demande si vous êtes français.

a. Qu'est-ce qu'elle fait ? ....
b. Comment conduisent les chauffeurs de taxi ? ....
c. Où étiez-vous ce matin ? ....
d. Qui connais-tu là-bas ? ....
e. Qu'est-ce que tu dis ? ....
f. Comment traduisez-vous " bébé " ? ....

g. Pouvez-vous le remercier ? ....

h. Tu aimes les films de Milos Forman ? ....

i. Quand arrivez-vous ? ....

j. Tu as lu le dernier roman de Le Clézio ? ....

172 Réécrivez les demandes.

✓ Exemples : Dis-moi ce que tu as vu. ▶ Qu'as-tu vu ?

Dis-moi si tu as le temps. ▶ As-tu le temps ?

Dis-moi combien de jours tu pars ? ▶ Combien de jours pars-tu ?

a. Dis-moi quel temps on prévoit pour le week-end. ....

b. Dis-moi combien d'enfants tu as. ....

c. Dis-moi pourquoi tu es en retard. ....

d. Dis-moi quelle est ta chanteuse préférée. ....

e. Dis-moi ce qui est arrivé de si grave. ....

f. Dis-moi si tu as pris les places de théâtre. ....

g. Dis-moi ce que tu as préparé pour le dîner. ....

h. Dis-moi si tu es toujours fâché. ....

i. Dis-moi qui a gagné les 24 heures du Mans. ....

j. Dis-moi si tu as téléphoné aux Michaud. ....

173 Complétez les phrases suivantes avec si (s'), ce qui, ce que (qu'), qui, combien, pourquoi, quand, quel, lequel.

✓ Exemple : Dis-nous **ce que** tu en penses.

a. Je ne sais pas............ jour ils partent.

b. Non, je n'ai encore rien reçu. Mais dis-moi............ tu m'as écrit.

c. Elle ne comprend pas............ tu racontes.

d. Les Français disent rarement............ ils gagnent.

e. J'aimerais bien savoir............ tu fais cette tête.

f. Peux-tu me dire............ a téléphoné ?

g. Alain se demande............ il pourra venir.

h. Raconte-nous............ est arrivé aux Irlandais.

i. Parmi ces livres, dis-moi............ tu as préféré.

j. Personne ne sait............ Gérard Lambert est coupable ou non.

174 Qu'est-ce qu'on vous demande ?
Mettez les phrases au style indirect.

✓ Exemple : Vous avez l'heure ? ▶ Un passant **me demande si j'ai l'heure.**

a. Qu'est-ce que tu fais ce soir ? ▶ Mes amis...

b. Est-ce que tu connais bien Xavier ? ▶ Damien...

c. Votre billet s'il vous plaît ! ▶ Le contrôleur...

d. Qu'est-ce que tu as dans ton sac ? ▶ Ta mère...

e. Comment allez-vous ? ▶ Le chef du personnel...

f. Que pensez-vous de ce conflit ? ◗ Un journaliste...

g. Pourquoi fais-tu cette grimace ? ◗ Pauline...

h. Je peux téléphoner ? ◗ Mon frère...

i. Où préférez-vous vous asseoir ? ◗ L'ouvreuse ....

j. Avec de la crème ? ◗ Le serveur..

175 **Complétez les phrases avec** *de, si, (s'), ce que, ce que* **ou** *que (qu')*.

✓ Exemple : Elle lui dit ***qu****'elle est fatiguée.*

a. Je lui ai dit .... venir à la maison.

b. Gaston me demande .... j'aime les fleurs.

c. Je lui répond .... je les adore !

d. Le médecin t'a dit .... rester au lit !

e. Nous disions .... nous n'aimions pas l'Opéra.

f. Le journaliste lui demande .... il pense du terrorisme.

g. Le président répond .... c'est un problème complexe.

h. Luc Besson a dit .... il commençait un nouveau film.

i. Il se demande .... il sera fini à la date prévue.

j. Le professeur te demande .... tu aimes étudier le français.

176 **Pouvez-vous répéter ? Complétez.**

✓ Exemple : – Je pars à Paris dans une semaine.
     – Qu'est-ce que vous dites ?
     ◗ Je dis que je pars à Paris dans une semaine.

a. – Je déteste les impressionnistes !

   – Pardon ?

   ◗ Je dis...

b. – Vous aimez la mer ?

   – Comment ?

   ◗ Je vous demande...

c. – J'ai gagné au loto.

   – Qu'est-ce que tu dis ?

   ◗ Je te dis..

d. – Sortez, s'il vous plaît !

   – Pardon ?

   ◗ Je vous demande...

e. – Qu'est-ce que tu vas faire en Corse ?

   – Qu'est-ce que tu dis ?

   ◗ Je te demande...

f. – Quand arrive-t-il ?

   – Comment ?

   ◗ ....

g. – Vous aimez les escargots ?

   - Pardon ?

   ◗ ....

h. – Que regardez-vous ?

   – Comment ?

   ◗ ....

i. – J'en ai assez !

   – Qu'est-ce que tu dis ?

   ◗ ....

j. – Vous n'auriez pas un ticket de métro ?

   – Pardon ?

   ◗ ....

B.   Concordance des temps

177   **Qu'est-ce qu'ils disent ?**

✓ Exemples : C'est facile. ◗ Ils disent que c'est facile.
      Que cherchez-vous ? ◗ Ils demandent ce que vous cherchez.
      Ne faites pas de bruit ! ◗ Ils demandent de ne pas faire de bruit.

a. Ne fumez pas !   ....

b. Vous êtes malade ?   ....

c. Combien ça coûte ?   ....

d. Nous avons lu tous les livres de Modiano.   ....

e. C'est très intéressant.   ....

f. Ne descendez pas du bus !   ....

g. Vous aimez Tahar Ben Jelloun ?   ....

h. Il y a longtemps que vous attendez ?   ....

i. Vous vous êtes blessé ?   ....

j. N'y allez pas !   ....

178   **Qu'est-ce qu'ils ont dit ? Reprenez les phrases de l'exercice précédent et mettez-les au passé.**

✓ Exemples : Ils disent que c'est facile. ◗ Ils **ont dit** que **c'était** facile.

      Ils demandent ce que vous cherchez. ◗ Ils **ont demandé** ce que vous **cherchiez.**

      Ils demandent de ne pas faire de bruit. ◗ Ils **ont demandé** de ne pas faire de bruit.

a. ....

b. ....

c. ....

d. ....

e. ....

f. ....

g. ....

h. ....

i. ....

j. ....

179 **Hier, le chef du personnel a fait une série de remarques à Bertrand. Que lui a-t-il dit ?**

a. À quelle heure arrivez-vous au bureau ?

b. Vous passez votre temps au téléphone !

c. Soyez ponctuel à vos rendez-vous !

d. Ne parlez pas trop avec la secrétaire !

e. Combien de cafés prenez-vous par jour ?

f. Il faut être plus patient avec les clients !

g. Je pense que vous ne traitez pas suffisamment de dossiers !

h. À quelle heure déjeunez-vous ?

i. Est-ce que le bilan financier est prêt ?

j. Pouvez-vous travailler au mois d'août ?

Le chef du personnel a demandé à Bertrand à quelle heure *il arrivait* au bureau et ....

....

....

....

....

....

....

....

....

180 **Réécrivez les demandes.**

✓ Exemple : Tu *prendras* quel train ? ▶ On m'a demandé quel train je *prendrais*.

a. Vous sortirez à quelle heure ? ....

b. Tu habiteras chez qui ? ....

c. Qu'est-ce que tu feras pendant le mois d'avril ? ....

d. Quel jour arriverez-vous ? ....

e. Combien d'heures de vol tu auras ? ....

f. Pourquoi seras-tu en retard ? ....

g. Est-ce que tu viendras seul ? ....

h. Qu'est-ce que tu voudras faire ? ....

i. Tu resteras plusieurs jours à Manille ? ....

j. Vous aurez des chèques de voyage ? ....

181 **Mettez les phrases suivantes au passé.**

✓ Exemples : Il répète que c'est vrai. ▶ Il a répété que c'était vrai.

Elle sait ce qu'il a acheté. ▶ Elle a su ce qu'il avait acheté.

Il annonce qu'il retournera en Australie. ▶ Il a annoncé qu'il
retournerait en Australie.

a. La radio déclare qu'il a gagné. ....

b. Ivan nous prévient qu'il est bien arrivé. ....

c. Grand-mère dit qu'il fait beau en Normandie. ....

d. Je sais qu'elle travaille à l'ambassade de Belgique. ....

e. Les élèves disent qu'ils s'enverront des cartes postales. ....

f. La météo annonce qu'il a neigé sur toute la France. ....

g. Elle dit que son mari a changé d'avis. ....

h. Je pense que vous avez tort. ....

i. Monsieur Simon confirme qu'il étudiera le projet. ....

j. Claire sait ce que vous avez fait. ....

182 **Réécrivez les phrases en fonction des indications de temps données.**

✓ Exemple : Aujourd'hui, tu me dis que tu quittes tout.
Ce jour-là, tu m'as dit (me disais) que tu quittais tout.

a. Ce soir, tu m'annonces que tu pars vivre en Corse.
Hier soir, ...

b. La semaine dernière, il m'a dit qu'il écrivait un roman.
Aujourd'hui, ...

c. Hier, elle a reconnu qu'elle avait tort.
Maintenant, ...

d. Brigitte pense que tu arriveras demain.
.... aujourd'hui.

e. La semaine dernière, j'ai appris qu'ils pensaient se marier.
Aujourd'hui, ...

f. Elle vous prévient qu'elle ne sera pas là après-demain.
.... le surlendemain.

g. Cet après-midi, tu me dis que tu ne regrettes rien.
Ce matin, ...

h. La semaine dernière, Pauline m'a proposé de venir à Strasbourg.
La semaine prochaine, ...

i. Maintenant, on se demande comment ils réaliseront ce voyage.
Il y a un an, ...

j. Il y a un mois, je ne pensais pas qu'elle viendrait.
Aujourd'hui, ...

Le discours rapporté

183 *Complétez.*

Yves : Cette voiture fait vraiment trop de bruit !

Rémy : Qu'est-ce que tu dis ?

Yves : Je dis que ....

Rémy : Et en plus, elle n'avance pas vite.

Yves : Comment ?

Rémy : J'ai dit..

Yves : Je vais la vendre. Tu ne veux pas l'acheter ?

Rémy : Tu peux répéter ?

Yves : Je t'ai demandé ....

Rémy : Non, merci.

Yves : Tu as vu la Citroën bleue ?

Rémy : Oui, elle nous a doublés sans clignotant.

Yves : Comment ?

Rémy : Je t'ai dit...

Ne prends pas à gauche !

Yves : Comment ?

Rémy : Je te demande.................................

Yves : Mais où veux-tu aller ?

Rémy : Quoi ! ?

Yves : Je te demande..................................

Rémy : J'en ai assez. On rentre !

IX. CONCORDANCE DES TEMPS

NE FAIS PAS À AUTRUI CE QUE TU NE VOUDRAIS PAS QU'ON TE FASSE.

A. La concordance des temps à l'indicatif et au conditionnel

184 **Conjuguez les verbes à l'imparfait ou au passé composé.**

✓ Exemple : Je **suis rentré** de week-end, il **pleuvait** encore. (rentrer/pleuvoir)

a. Hier, on .... un film qui .... vraiment intéressant. (voir/être)

b. Je .... chez eux mais il n'y .... personne (passer/avoir)

c. Il .... très froid quand nous .... à Paris en décembre. (faire/venir)

d. Françoise Sagan .... *Bonjour Tristesse* alors qu'elle .... 19 ans. (écrire/avoir)

e. Tout à l'heure le professeur d'histoire .... de salle, il .... l'amphithéâtre B. (se tromper/chercher)

f. J' .... ce livre de Tournier aussitôt qu'il .... (acheter/paraître)

g. Tu nous .... le chemin qu'il .... prendre. (indiquer/falloir)

h. On .... de 15% de réduction car on .... bien le vendeur. (bénéficier/connaître)

i. Cet ouvrier .... son emploi alors qu'il .... depuis dix ans dans la même entreprise. (perdre/travailler)

j. Milena .... ce que tu lui .... (ne pas comprendre/dire)

185 **Mettez les phrases suivantes au passé.**

✓ Exemples : Je crois qu'elle partira vivre à l'étranger.
 ▸ Je **croyais** qu'elle **partirait** vivre à l'étranger.

 Je ne sais pas si vous êtes libre jeudi.
 ▸ Je ne **savais** pas si vous **étiez** libre jeudi.

a. Delphine est pressée, elle va arriver en retard au bureau. ....

b. Il est déjà quatre heures. Il faut partir ! ....

c. Tu penses à la tête qu'il fera en arrivant ! ....

d. Je suis certaine que Mathilde est déjà venue ici. ....

e. Croyez-vous qu'il réussira ? ....

f. Si tu veux lui faire plaisir, il faut lui offrir des chocolats. ....

g. Je pense que Guillaume est doué pour le dessin. ....

h. Nous sommes convaincus que le personnel admettra
vos arguments. ....

i. Le député craint la réaction que ses élus auront face à ce
problème écologique. ....

j. Tu dois deviner la réponse ; c'est facile ! ....

186 **Mettez les verbes soulignés au présent et respectez la concordance des temps.**

✓ Exemple : Manuel s'est inquiété parce qu'on ne lui avait rien dit.
▸ Manuel **s'inquiète** parce qu'on ne lui **a** rien dit.

a. Personne ne croyait qu'il gagnerait à Roland-Garros ....

b. Je pensais qu'il s'était trompé d'adresse..............................

c. Tout le monde parlait de l'équipe qui venait d'être qualifiée..............................

d. Louise a tellement eu peur qu'elle n'a pas pu s'empêcher de crier..............................

e. Solange m'a appelé au moment où je fermais la porte..............................

f. Les enfants se sont réveillés quand le téléphone a sonné..............................

g. Tu savais bien que ton frère aurait du succès là-bas. ....

h. Ils avaient fait beaucoup d'efforts mais ils avaient obtenu peu de résultats. ....

i. Charlotte nous a affirmé que tu étais déjà parti. ....

j. Nous avons raccompagné Louis qui était en retard..............................

187 **Conjuguez les verbes entre parenthèses (plusieurs réponses sont parfois possibles).**

✓ Exemple : Fais les réservations maintenant, sinon il **ne restera plus** de place.
(ne plus rester)

a. Le professeur qui .... (accepter) ce travail sera déchargé de cours.

b. Au cas où vous .... (avoir) un problème, n'hésitez pas à nous appeler.

c. Vous êtes furieux contre moi alors que je .... (ne pas dire) un mot à ce sujet.

d. Je .... (penser) aux frais que ces travaux occasionneraient.

e. Sais-tu s'il .... déjà .... (prendre) l'avion avant de venir en France ?

f. La presse a révélé qu'il .... (s'agir) d'un attentat terroriste.

g. Mes parents craignaient les conséquences que cette opération .... (entraîner).

h. Il est venu parce que je l' .... (inviter)

i. Ils ont vendu leur maison de Deauville, désormais ils .... (aller) en vacances dans
le Sud.

j. Je ne pensais pas qu'il .... (accepter)

B. Indicatif et subjonctif

188 **Associations possibles.**

✓ Exemple: Il est certain que tu n'as pas fait exprès.

1. Il est certain

2. Il est possible

a. qu'elle soit partie en week-end.
b. que tu n'as pas fait exprès.
c. que ce vase vaut très cher.
d. que les arbres atteignent 100 mètres de haut?
e. que les températures ont baissé.
f. qu'il repeigne la salle de bains avant Noël.
g. que vous mangez beaucoup trop le soir.
h. que vous guérissiez plus rapidement que prévu.
i. que ta famille prenne l'avion demain.
j. que je ne sache pas parler aux enfants.

189 **Conjuguez les verbes entre parenthèses (plusieurs réponses sont parfois possibles).**

✓ Exemples: Je regrette que Georges ne **soit** pas là. (être)
Nous savons qu'il **était** là hier. (être)

a. Je ne pense pas qu'il .... (se nourrir) correctement.

b. Vous affirmez que ce portefeuille lui .... (appartenir)?

c. Tu crois que j' .... (agir) par intérêt. Tu te trompes!

d. Je sais qu'il .... (oublier) souvent ses clés.

e. On trouve que vous .... (avoir) raison.

f. Tu t'aperçois que tu .... (perdre) ton temps.

g. Ivan craint qu'elle .... (ne pas obtenir) son permis de conduire.

h. L'accusé refuse qu'un avocat le .... (défendre)

i. Les journalistes souhaitent que le maire .... (faire) une déclaration.

j. Nous doutons que tu .... (pouvoir) t'entendre avec elle.

190 **Reprenez les affirmations suivantes en exprimant votre accord. (***Oui, je pense que..., je crois que..., je suis sûr(e) que...***) ou votre désaccord (***Non, je ne trouve pas que..., je ne pense pas que..., je ne suis pas certain que...***)**

✓ Exemples: L'avion est un moyen de transport dangereux.

(accord) ▶ Oui, **je crois que** l'avion **est** un moyen de transport dangereux.

(désaccord) ▶ Non, **je ne trouve pas que** l'avion **soit** un moyen de transport dangereux.

a. Les plantes peuvent nous guérir de toutes les maladies.

....

b. Les hommes vieillissent mieux que les femmes.

....

c. Nous vivons mieux qu'au siècle dernier.

....

d. Le président de la République reçoit un salaire trop élevé.

....

e. La publicité agit inconsciemment sur les consommateurs.

....

f. Les extraterrestres ont visité notre planète.

....

g. Le cinéma répond à un besoin d'évasion.

....

h. Un médecin doit toujours dire la vérité au malade.

....

i. On écrit moins quand on a le téléphone.

....

j. Le sida concerne seulement les marginaux.

....

191 **Terminez les phrases suivantes (en utilisant l'indicatif ou le subjonctif).**

✓ Exemples: Téléphonez à Pauline aussitôt que ***vous rentrerez*** (indicatif)

Téléphonez-lui afin que ***tout le monde soit prévenu***. (subjonctif)

a. Je t'écris pour que..

b. Bertrand part immédiatement afin que ....

c. Tu l'as vu alors que..

d. Nous travaillons tandis que ....

e. La pluie a commencé à tomber avant que ....

f. Les Durand sont partis en vacances bien que ....

g. Jeanine se met à pleurer aussitôt que ....

h. Je ne lui adresserai plus la parole à moins que.......................................

i. Le chien aboie parce que ....

j. Vous devriez acheter ce manteau puisque ....

C. Le discours rapporté

192 **Choisissez les temps qui conviennent (plusieurs réponses sont parfois possibles).**

✓ Exemple: Étienne avait promis qu'il ....

☐ vient.   ☒ viendrait.   ☐ est venu.   ☐ viendra.

a. Les enfants vous ont dit qu'ils .... au zoo hier?

1 ☐ étaient allés   2 ☐ iront   3 ☐ vont   4 ☐ seront allés

b. Je leur avais déclaré que je .... même sans mes musiciens.

1 ☐ chante   2 ☐ chanterais   3 ☐ ai chanté   4 ☐ chantais

c. Tu ne lui as pas demandé s'il .... de la sécheresse.
   1 ☐ avait souffert   2 ☐ souffrait   3 ☐ souffre   4 ☐ aura souffert
d. Nous exigeons que vous .... cette amende avant quinze jours.
   1 ☐ payez   2 ☐ avez payé   3 ☐ payiez   4 ☐ payerez
e. À cela, je vous réponds que je .... encore au tennis demain.
   1 ☐ jouais   2 ☐ joue   3 ☐ jouerais   4 ☐ jouerai
f. Dis-moi si tu m' .... à l'aéroport dimanche prochain.
   1 ☐ accompagnais   2 ☐ accompagneras   3 ☐ as accompagné 4 ☐ accompagnes
g. Je demande qu'on .... des mesures énergiques.
   1 ☐ prend   2 ☐ prendra   3 ☐ prenne   4 ☐ a pris
h. Les grévistes avaient affirmé qu'ils .... le travail le lendemain.
   1 ☐ reprendront   2 ☐ reprendraient   3 ☐ reprennent   4 ☐ ont repris
i. Elle croyait que René .... en Corse.
   1 ☐ vivra   2 ☐ vivrait   3 ☐ a vécu   4 ☐ avait vécu
j. Oscar pensait que tu .... de lui.
   1 ☐ te moques   2 ☐ t'étais moqué   3 ☐ te moquais   4 ☐ te moqueras

193 Conjuguez les verbes entre parenthèses.

✓ Exemples: François disait qu'il **viendrait** le lendemain. (venir)

Patricia **a demandé/demandait** ce que vous avez fait. (demander)

a. Tu ne m'avais pas dit ce que tu .... de cette rencontre. (attendre)

b. Arlette dit qu'elle .... en Chine pour ses prochaines vacances. (aller)

c. Grand-père .... toujours que nous retournerions un jour vivre aux Antilles. (dire)

d. Le ministre pensait que les journalistes .... ces informations la veille de son discours. (annoncer)

e. Les professeurs nous .... que nous devons voir des films français en version originale. (répéter)

f. Thierry raconte qu'il .... Sylvie hier dans le métro. (croiser)

g. Sophie nous a dit qu'elle .... Béatrice la veille au café. (voir)

h. Le facteur nous .... qu'il part bientôt à la retraite. (dire)

i. Le bijoutier .... que ces diamants étaient faux. (déclarer)

j. Mon voisin me demandait si l'O.M.* .... lors du dernier match contre Bordeaux. (gagner)

* Olympique de Marseille, club de football.

194 Transposez les phrases au discours indirect.

✓ Exemple: «Combien êtes-vous?» nous a-t-il demandé.
            ▶ Il nous a demandé combien nous étions.

a. «Jacques perd son temps», lui ai-je répondu.
   Je lui ai répondu que...

b. «J'arrête de fumer», affirme-t-il tous les jours.
   Tous les jours, il affirme...

c. « Je ne peux pas la supporter », disais-tu.

Tu ....

d. « Où ai-je mis mes lunettes ? » se demandait-il.

....

e. « Claude est enfin revenu ! » a-t-il dit.

....

f. « J'aime la pêche », nous a-t-il confié.

....

g. « Ce théâtre fermera bientôt ses portes », pensait-il.

....

h. « Les lampes sont restées allumées », avais-je remarqué.

....

i. « Nous ne changerons pas d'opinion », avons-nous déclaré.

....

j. « Où iras-tu ? » m'avait-elle demandé.

....

Concordance des temps

195 *Conjuguez les verbes entre parenthèses.*

LETTRE D'AMOUR

Très chère Simone,

Ce jour-là, je .... en .... (se souvenir) toute ma vie.
Il y a deux mois, pour cette fête de fin d'année, vous .... (porter)
une robe bleue. Depuis, je ne .... (penser) qu'à vous. Même si ce
soir-là nous n' .... (échanger) aucun mot, nos regards ....
(se croiser). Quand j' .... (vouloir) faire votre connaissance, on m'a
dit que vous .... déjà .... (partir). Aujourd'hui, j'ai enfin votre
adresse. Il faut que je vous le .... (dire): je vous .... (aimer).
Vous pensez sûrement que je .... (être) fou, pourtant, si vous me
.... (connaître) mieux, vous .... (savoir) que je suis sincère.
Me .... (répondre)-vous?

Yves

X. LE PASSIF

*F*AUTE AVOUÉE EST À DEMI PARDONNÉE.

A. Le passif au présent ; morphologie

196 **Distinguez les sens actifs (A) des sens passifs (P).**

✓ Exemples: Ils sont arrivés à 8 heures. (A)
On est invité chez Sophie. (P)

a. Tu es né en 1962. (...)

b. Vous êtes tombés de moto. (...)

c. Je suis convoquée par le directeur. (...)

d. Tu es récompensé pour tes efforts. (...)

e. Elle est devenue très snob. (...)

f. Nous sommes photographiées pour le magazine *Elle*. (...)

g. On est parti à 17 h 30. (...)

h. Ils sont déçus par leurs résultats à l'examen. (...)

i. Thomas et Paul sont aimés de tous. (...)

j. Charles est interviewé par une étudiante. (...)

197 **Réécrivez les phrases suivantes à la forme active.**

✓ Exemple: Le Premier ministre est désigné par le président.
▶ Le Président désigne le Premier ministre.

a. Marne-la-Vallée est desservi par le R.E.R.* ....

b. Le César est remis par Sophia Loren au meilleur réalisateur. ....

c. Le journal télévisé est présenté par Poivre d'Arvor. ....

d. Vanessa Paradis est impressionnée par le public. ....

e. Les spectacles de l'Opéra sont subventionnés par le ministère de la Culture. ....

f. L'impôt sécheresse est payé par tous les Français. ....

g. Gérard Depardieu est adoré des Américains. ....

h. La chanson *À bicyclette* était interprétée par Yves Montand. ....

i. Les bateaux-mouches sont envahis par les touristes. ....

j. Le délégué de classe est choisi par les élèves. ....

* R.E.R.: Réseau Express Régional (train ou métro de banlieue).

198 **Réécrivez ces phrases à la forme passive.**

✓ Exemple : Un adjoint représente le maire.
▶ Le maire est représenté par un adjoint.

a. L'architecte dessine ces plans. ▶ Ces plans ....

b. Le contremaître dirige les ouvriers. ....

c. Le médecin ausculte le patient. ....

d. Le chien guide l'aveugle. ....

e. Les pompiers éteignent l'incendie. ....

f. Le plombier débouche l'évier. ....

g. L'agent des Télécom installe le téléphone. ....

h. L'électricien répare le circuit électrique. ....

i. L'éditeur relit les épreuves. ....

j. Le facteur distribue le courrier. ....

199 **Passez de l'actif au passif.**

✓ Exemple : Pierre invite ma sœur pour les vacances.
▶ Ma sœur est invitée par Pierre pour les vacances.

a. Mes parents paient mon loyer chaque mois. ▶ Mon loyer ....

b. Chaque année la R.A.T.P.* augmente le tarif des transports. ....

c. L'État emploie les enseignants du secteur public. ....

d. Les syndicats décident la grève. ....

e. Le gouvernement interdit la publicité sur le tabac. ....

f. Le chômage inquiète beaucoup les jeunes. ....

g. Le Sénat et l'Assemblée nationale proposent et votent les lois. ....

h. Le directeur convoque le personnel. ....

i. Le Premier ministre désigne les ministres. ....

j. La conseillère d'orientation conseille les lycéens. ....

* R.A.T.P. : Régie Autonome des Transports Parisiens

200 **Transformez ces titres d'articles en les réécrivant à la forme passive.**

✓ Exemple : Rejet du projet de loi sur la publicité pour l'alcool. (rejeter)
▶ Le projet de loi sur la publicité pour l'alcool est rejeté.

a. Fermeture de l'autoroute A7 à Mâcon. (fermer) ....

b. Dévaluation du dollar. (dévaluer)...

c. Réduction du trafic aérien. (réduire) ....

d. Licenciement d'une partie du personnel Air France. (licencier) ....

e. Réunion des pays membres de la C.E.E.* (réunir) ....

f. Augmentation du SMIC** en janvier. (augmenter) ....

g. Élargissement de la politique sociale en France. (élargir) ....

h. Aide aux sans-abri. (aider)..

i. Réorganisation du plan d'aménagement de la région Rhône-Alpes
(réorganiser) ....
....
j. Destruction des usines Renault à Boulogne. (détruire) ....

* C.E.E. : Communauté Économique Européenne
** SMIC : Salaire Minimum Interprofessionnel de Croissance.

201 Réécrivez ces phrases à la forme active en utilisant *on*.

✓ Exemple : Les loyers sont augmentés le 1er juillet de chaque année.
▶ *On augmente* les loyers le 1er juillet de chaque année.

a. Des vendeuses sont demandées. ....
b. Les bureaux sont transférés au 15, rue Lafayette. ....
c. Chaque semaine, le courrier est réexpédié automatiquement. ....
d. Un voleur est recherché. ....
e. La comptable est licenciée le mois prochain. ....
f. Le quart du personnel est augmenté. ....
g. Jean-Paul Belmondo est primé au festival d'Avoriaz. ....
h. L'Assemblée est dissoute. ....
i. La famille est réunie pour Noël. ....
j. Les journaux sont informés à chaque instant. ....

202 Réécrivez ces phrases à la forme passive.

✓ Exemple : On prévient le commissariat. ▶ Le commissariat *est prévenu*.

a. On fouille l'appartement.   ....
b. On identifie le corps.   ....
c. On relève les indices.   ....
d. On prend des photos.   ....
e. On interroge les voisins.   ....
f. On enlève le corps.   ....
g. On met l'appartement sous scellés.   ....
h. On mène l'enquête.   ....
i. On repère le coupable.   ....
j. On prononce le verdict.   ....

B. Le passif aux autres temps de l'indicatif

203 Réécrivez ces phrases à la forme active.

✓ Exemple : Tous les appartements étaient réservés par les touristes.
▶ Les touristes *réservaient* tous les appartements.

a. Les informations étaient communiquées par la radio locale. ....
b. Les forfaits étaient vendus par les employés de la station. ....
c. Les routes étaient déneigées par le chasse-neige. ....
d. Les leçons de ski étaient données par les moniteurs. ....

e. Les conseils de sécurité étaient suivis par les skieurs. ....

f. Les remonte-pentes étaient pris d'assaut par les enfants. ....

g. Les terrasses de cafés étaient envahies par les vacanciers. ....

h. Les sportifs étaient inscrits aux compétitions par l'école de ski. ....

i. La neige était attendue par les skieurs. ....

j. Des photos-souvenirs étaient prises par les photographes de la station. ....

204 Réécrivez suivant les exemples.

✓ Exemples : Je serai convoquée à 15 heures ?
➧ Oui, on vous convoquera à 15 heures.

On nous préviendra par téléphone ?
➧ Oui, vous serez prévenus par téléphone.

a. Catherine sera admise en doctorat ? ....

b. On nous accompagnera à la gare ? ....

c. Le tarif réduit nous sera accordé ? ....

d. On acceptera notre projet ? ....

e. Cette voiture sera garantie un an ? ....

f. On augmentera le personnel l'année prochaine ? ....

g. Notre dossier sera étudié avec soin ? ....

h. On modifiera les impôts locaux ? ....

i. On désignera le jury ? ....

j. Les épreuves seront corrigées deux fois ? ....

205 Réécrivez ces messages à la forme passive.

✓ Exemple : On a trouvé un trousseau de clés. ➧ Un trousseau de clés a été trouvé.

a. On a appelé le petit Thomas Lariven. ....

b. On a enlevé la voiture accidentée. ....

c. On a accepté le projet d'urbanisme. ....

d. On a fracturé la porte principale de la villa. ....

e. On a dépensé beaucoup d'argent pendant les vacances. ....

f. On a prévenu les intéressés par téléphone. ....

g. On a donné l'adresse de Léopoldine à Paul. ....

h. On a acheté les billets pour Nice. ....

i. On a invité les voyageurs à se présenter porte 5. ....

j. On a perdu beaucoup de temps. ....

206 Répondez aux questions suivantes en utilisant la forme passive.

✓ Exemple : Est-ce que tu as coupé l'électricité ? (oui)
➧ Oui, l'électricité a été coupée.

a. As-tu vidé le réfrigérateur ? (non) ....

b. As-tu vérifié les passeports ? (oui) ....

c. As-tu fermé les radiateurs ? (oui) ....

d. Tu n'as pas enfermé le chat dans la cuisine ? (non) ....

e. Est-ce que tu as verrouillé les portes ? (non) . . . .

f. As-tu vérifié le robinet de la salle de bains ? (oui) . . . .

g. Est-ce que tu as mis le petit sac en cuir dans la voiture ? (non) . . . .

h. Tu as noté l'adresse des Pello ? (oui) . . . .

i. Et toi, est-ce que tu as prévenu les Pello de notre arrivée ? (non) . . . .

j. Mais, es-tu sûre qu'ils nous attendent pour dîner ? (oui) . . . .

207 Écrivez une phrase à la forme passive en fonction des indications temporelles données.

✓ Exemple : la semaine prochaine/opérer/Pauline
▶ Pauline sera opérée la semaine prochaine.

a. en septembre dernier/nommer secrétaire de direction/Jacqueline . . . .
. . . .

b. aujourd'hui/inviter à *7 sur 7*/le président de la République . . . .
. . . .

c. à Noël dernier/gâter par la famille/les enfants . . . .
. . . .

d. il y a quelques jours/engager comme stewart/mon voisin . . . .
. . . .

e. dans quelques mois/récompenser au festival de Cannes/les meilleurs films . . . .
. . . .

f. depuis quinze jours/couper/le téléphone de Dominique . . . .
. . . .

g. ce soir/confronter à un grave problème/je . . . .
. . . .

h. dimanche prochain/opposer à Paris-Saint-Germain/l'équipe de Marseille . . . .
. . . .

i. le 1er Mai/ne pas distribuer/le courrier . . . .
. . . .

j. en mars prochain/envoyer en mission au Maroc/Cécile . . . .
. . . .

208 Faites des phrases avec *on*.

✓ Exemple : Vous serez reçu à 18 heures. ▶ On vous recevra à 18 heures.

a. Cette jeune actrice a été auditionnée la semaine dernière. . . . .

b. Les plaintes seront déposées au bureau 415. . . . .

c. Des embouteillages étaient prévus à partir de vendredi midi. . . . .

d. Le pique-nique est annulé. . . . .

e. Cette lettre avait été envoyée en express. . . . .

f. Les dossiers d'inscription doivent être rapportés à compter du 1er juillet. . . . .

g. Les tarifs d'assurance seront augmentés le 1er janvier. . . . .

h. Une hausse du chômage avait été enregistrée en octobre 90. . . . .

i. La banque sera fermée du 31 avril au 3 mai prochains. . . . .

j. Les primes de fin d'année ont été versées avec un mois de retard. . . . .

C. Constructions particulières du passif

209 **Complétez par** *du, de, d', des* **ou** *par*.

✓ Exemples : Il est admiré **de/par** la classe entière.
Les pavillons sont entourés **de** jardinets.

a. La cérémonie est suivie .... un vin d'honneur.

b. Les délinquants sont surveillés .... la police.

c. La date de départ est prévue .... l'agence de voyage pour le 15 février.

d. Les jeux Olympiques d'Alberville ont été subventionnés .... le conseil régional.

e. La fête est organisée .... la caisse des écoles.

f. La mer est couverte .... pétrole depuis ce naufrage.

g. Les Bahamas sont bien connus .... touristes américains.

h. La conférence sera précédée .... une projection de diapositives.

i. Les enfants doivent être accompagnés .... un adulte.

j. Édith Piaf était adorée .... public.

210 **Reliez ces éléments pour en faire des phrases.**

✓ Exemple : Es-tu bien conseillé par tes amis ?

a. Es-tu bien conseillé

b. *La Discrète* est un film très apprécié

c. Les journalistes ont été invités

d. Le village où j'habite est entouré

e. Sophie Marceau est sélectionnée

f. Joseph s'est fait punir

g. Nous serons informés de l'actualité

h. Francis Cabrel est très aimé

i. C'est une jolie bague avec un diamant entouré

j. Tu recouvriras la voiture

1. par le prof de math.

2. de saphirs.

3. d'une bâche pour l'hiver.

4. des jeunes Français.

5. du grand public.

6. par la radio.

7. par TF1*.

8. de bois.

9. par tes amis ?

10. par le jury du festival.

* TF1 : chaîne de télévision française

Le passif

211 *Réécrivez ce passage en mettant les phrases dont les verbes sont soulignés à la forme passive.*

La femme <u>a arrêté</u> sa voiture ; elle <u>a coupé</u> le contact. Les bruissements d'insectes <u>emplissaient</u> à nouveau la nuit chaude. La femme <u>a ouvert</u> sa portière et elle est sortie. Elle portait une élégante robe d'été découvrant ses épaules. Elle a fait quelques pas le long du canal en direction de l'écluse.

« Coupez, ça ne va pas du tout, a crié Jean, il faut <u>recommencer</u> la séquence » ; et, s'adressant à Maryse : « Enfin, mon petit, on ne <u>t'a pas invitée</u> à une soirée ! Ne marche pas si vite, rien <u>ne te presse</u> ! N'oublie pas : c'est un homme que tu détestes qui <u>t'attend</u>. Caméraman, on reprend ! » Maryse regagne la voiture qu'elle <u>a garée</u> quelques minutes auparavant. Elle semble excédée : elle <u>rejoue</u> cette scène pour la troisième fois déjà, et le résultat <u>ne satisfait</u> toujours pas Jean. Ce métier d'actrice, elle <u>n'aurait jamais dû</u> le choisir ou, plutôt, elle devrait jouer dans un autre film que *Faux Départ*.

▶ La voiture a été arrêtée (par la femme) ; le contact a ....

....

....

XI. L'HYPOTHÈSE ET LA CONDITION

TOUT VIENT À POINT À QUI SAIT ATTENDRE.

A. L'hypothèse

212 **Soulignez les éléments marquant l'hypothèse.**

✓ Exemple : <u>Il se peut que</u> le Premier ministre réussisse son programme.

a. Émilie écoutait cette histoire avec intérêt comme si elle ne l'avait jamais entendue.

b. Tu viens avec nous ? Dans ce cas, nous passerons te chercher.

c. Qu'est-ce qui te laisse supposer qu'elle arrêtera bientôt ses études ?

d. Au cas où l'entreprise accepterait mon projet, je ferais un stage de gestion.

e. Il est tout à fait possible que ses parents prennent leur retraite l'année prochaine.

f. Tu répondrais à ce sondage, ce serait très utile !

g. Peut-être se rendront-ils compte un jour de leur erreur ?

h. Tu le prends de cette façon ? À ce compte-là, j'aime autant ne plus te voir.

i. En cas de panne de l'ascenseur, prière de vous adresser au concierge.

j. Veuillez retourner ce coupon dans les 48 heures au cas où notre offre vous intéresserait.

213 **Reliez les éléments suivants pour en faire des phrases.**

✓ Exemple : Il se peut qu'elle soit partie précipitamment.

a. Il se peut qu'

b. Achète le pain au supermarché au cas où

c. Tels que je connais les Martin, il est possible qu'

d. Prenez vos clés ; dans le cas contraire

e. Marie chantait dans sa chambre comme si

f. Nous serions obligés de vous poursuivre au cas où

g. Nous rappellerons vos amis plus tard ;

h. Dans l'hypothèse où ils ne seraient pas libres aujourd'hui,

i. En cas d'absence,

j. Tu as froid ? Eh bien,

1. vous pouvez laisser un message.

2. ils changent bientôt d'avis.

3. vous seriez à la porte.

4. rentre tout de suite !

5. rien ne s'était passé.

6. vous ne régleriez pas cette facture dans la semaine.

7. elle soit partie précipitamment.

8. la boulangerie serait fermée.

9. on reporterait le match de tennis.

10. ils seront peut-être rentrés chez eux.

214 **Répondez aux questions suivantes en utilisant les éléments proposés.**

Que ferez-vous...

✓ Exemple : si on vous vole votre portefeuille ?/supposer
   ▶ Je suppose que je téléphonerai au commissariat de police.

a. si vous gagnez au loto ?/à ce compte-là

....

b. en cas de grève des transports en commun ?/dans ce cas

....

c. si vous sortez de chez le coiffeur et qu'il se met à pleuvoir ?/dans ces conditions

....

d. si vous découvrez un trésor ?/il se peut que

....

e. si vous partez en vacances seul(e) ?/au cas où

....

f. si vous devenez une star de la chanson ?/comme si

....

g. si vous entendez un bruit suspect la nuit ?/ supposer

....

h. si vous êtes témoin d'une agression dans le métro ?/peut-être

....

i. si vous vous retrouvez seul dans une ville inconnue ?/dans l'hypothèse où

....

j. si vous n'avez pas envie de rester chez vous ?/il est possible que

....

215 **Indicatif, subjonctif ou conditionnel ? Complétez avec les verbes entre parenthèses.**

✓ Exemple : Il est possible que Sophie *soit* en retard demain car elle doit passer à la banque. (être)

a. Au cas où ça ne vous .... pas, venez plutôt mardi après-midi. (déranger)

b. Ses parents supposent qu'elle .... bientôt un emploi. (trouver)

c. Vous êtes libre ? Dans ce cas vous .... venir avec nous. (pouvoir)

d. Il .... peut-être .... notre rendez-vous ! En général, il est à l'heure ! (oublier)

e. Dans l'hypothèse où il .... , la réception aura lieu dans le hall. (pleuvoir)

f. Tu n'es pas trop fatiguée ? Dans le cas contraire, nous .... de nuit en couchette. (voyager)

g. Il raconte tout à Dominique comme s'ils .... depuis toujours. (se connaître)

h. Vous êtes au régime ? Dans ces conditions, je n' .... pas de gâteau. (apporter)

i. Il se peut que Pierre .... la voiture ce soir. (prendre)

j. Je vous laisserai un mot au cas où je .... absente. (être)

B. La condition

216 Distinguez l'hypothèse (H) de la condition (C).

✓ Exemples: Avec un ordinateur, ce travail serait simplifié. (C)
Peut-être ont-ils eu un empêchement. (H)

a. En faisant davantage attention à ses explications, je pense que tu comprendrais mieux. ( )

b. Je suis d'accord pour aller au restaurant à condition que tu m'invites! ( )

c. En cas d'interruption du trafic aérien, il est conseillé de voyager par le train. ( )

d. Nicolas se fera un plaisir de venir pourvu que Sophie soit là! ( )

e. Ce paysage serait magnifique sans la pluie. ( )

f. Nous vous préviendrons au cas où nous serions en retard. ( )

g. J'ai préféré faire comme si je n'avais pas entendu sa remarque. ( )

h. Si tes parents sont d'accord et que le temps le permet, nous pourrions faire une sortie en mer. ( )

i. Demain soir, il est très probable qu'il y aura la queue devant les cinémas. ( )

j. Elles partiront en voyage au Chili à condition d'obtenir une place en charter. ( )

217 Soulignez les termes exprimant la condition.

✓ Exemple: Paul prendra la voiture de sa sœur à condition qu'elle la lui prête.

a. Si un appartement se libère, pourrez-vous m'en avertir?

b. Les employés sont en accord avec les syndicats du moment qu'ils obtiennent de meilleures conditions de travail.

c. Vous maigririez en mangeant moins de sucre.

d. Avec un lave-vaisselle, votre vie serait plus simple!

e. Elle acceptera ce poste si le travail l'intéresse et à condition qu'il soit bien rémunéré.

f. Jean laissera ses clés chez le concierge à condition qu'il soit prévenu la veille.

g. Leur vie serait plus simple sans les contraintes familiales.

h. N'hésitez pas à prendre des vitamines si vous vous sentez fatigué.

i. J'irai à ce cocktail à la seule condition que Jacques m'y accompagne.

j. Il doit prendre un somnifère. Il dormira à cette seule condition.

218 Soulignez la bonne formule.

✓ Exemple: Léopoldine passera quelques jours au bord de la mer (à condition de/ à condition que/ du moment que) son médecin le lui permette.

a. Vous n'avez aucune chance d'obtenir ce poste d'hôtesse (en ne parlant pas/avec/à condition de parler) couramment l'anglais.

b. Mon ami me donnera ce timbre rare (à condition de/du moment qu'/pourvu qu') il l'ait en double.

c. Vous aurez des places pour le spectacle de ce soir (si/du moment que/à condition que) vous arriviez une heure à l'avance.

d. Jacques te prêtera sûrement sa voiture (avec/si/à condition qu') il n'en ait pas besoin ce week-end.

e. (À condition de/Sans/Du moment que) tous ces embouteillages, les dimanches à la campagne seraient plus agréables.

f. Vous pourrez échanger ce disque (à condition que/pourvu que/du moment que) vous ne le sortez pas de son emballage.

g. (Avec/À condition de/Si) votre permission, j'emmène Jacqueline en discothèque ce soir.

h. Juliette portera sa robe jaune (à condition que/si/pourvu que) le temps le permet.

i. (Sans/Si) la pluie et (avec/si) la mer était plus chaude, la Bretagne serait le paradis sur terre.

j. M. Dubois accompagnera son fils à Madrid (à condition de/pourvu que/du moment que) son patron n'y soit pas opposé.

219 Complétez les phrases suivantes.

✓ Exemple: Elle serait rentrée plus tôt à l'université *si elle avait obtenu son baccalauréat du premier coup*.

a. Nous irons voir un spectacle à Bercy à condition que.....................................
....

b. Du moment que ....,
les élèves sont satisfaits.

c. Avec...,
ce serait plus agréable de regarder la télévision.

d. Elle ira à son cours d'arts plastiques pourvu que...
....

e. À condition de...,
nous sortirons ce soir.

f. En ....,
Nicolas jouera très bien son morceau de piano.

g. Sans..,
Pauline aurait choisi de faire des études littéraires.

h. Si..................................   et à condition que ....
l'Europe deviendra une grande puissance.

i. Vos parents ne s'inquièteront pas du moment que..
....

j. Vous quitterez le bureau plus tôt à condition de ....
....

L'hypothèse et la condition

220 **Conjuguez les verbes entre parenthèses.**

LE PORTRAIT CHINOIS.

Si Paris (être) .... une odeur, il (sentir) .... le croissant chaud; Une couleur? Il (porter) .... des habits gris, de zinc. S'il (falloir) .... le définir par un bruit? Il (retentir) .... de mille cris familiers.

Si on (devoir) .... le caractériser par un monument? La tour Eiffel (éclairer) .... la pyramide du Louvre qui (renvoyer) .... son éclat sur toute la ville. Si l'on me demandait de citer un roman, je (répondre) .... Notre-Dame de Paris. Si je (devoir) .... choisir un quartier, ce (être) .... l'île de la Cité, le cœur de la capitale.

À votre tour, dressez le portrait chinois de votre ville.

XII. LA CAUSE

QUI VA À LA CHASSE PERD SA PLACE.

A. Distinction cause/but

221 Reliez les questions et les réponses et indiquez si elles expriment le but (B) ou la cause (C).

✓ Exemple : Pourquoi prends-tu de l'aspirine ? ▶ Parce que j'ai mal à la tête. (C)

a. Pourquoi prends-tu de l'aspirine ?

b. Pourquoi téléphones-tu à Thierry ?

c. Pourquoi pleures-tu ?

d. Pourquoi aller à la montagne ?

e. Pourquoi apprenez-vous le français ?

f. Pourquoi travailles-tu si tard ?

g. Pourquoi me posez-vous cette question ?

h. Pourquoi fais-tu un gâteau ?

i. Pourquoi riez-vous ?

j. Pourquoi prenez-vous le T.G.V. ?

1. Pour le prévenir de mon retard. (   )

2. Pour faire du ski. (   )

3. Parce que j'ai mal à la tête. (   )

4. Pour l'anniversaire d'Annie. (   )

5. Pour connaître votre avis. (   )

6. Parce que j'ai eu zéro en maths. (   )

7. Parce que c'est drôle ! (   )

8. Pour finir cette traduction. (   )

9. Pour travailler au Québec. (   )

10. Pour aller plus vite. (   )

222 Slogans publicitaires. Complétez les phrases suivantes avec *pour* ou *parce que*, suivant les indications de but (B) ou de cause (C).

✓ Exemples : ***Pour*** ne pas être en retard, prenez le métro ! (B)

Parce que vous aimez la musique classique, écoutez Radio-Beethoven. (C)

a. ...., lisez *Le Monde*. (C)

b. ...., regardez l'émission « Sport à la une ». (C)

c. ...., mangez les nouveaux produits allégés. (B)

d. ...., buvez de l'eau minérale. (B)

e. ...., voyagez sur Air Inter. (C)

f. ...., prenez le train ! (C)

g. ...., visitez les musées de France. (C)

h. ...., essayez la dernière Peugeot. (B)

i. ...., utilisez les nouveaux services de la Poste. (B)

j. ...., venez voir son dernier film. (C)

223 Soulignez les expressions exprimant la cause.

✓ Exemple : Il s'est absenté <u>sous prétexte qu'</u>il avait mal à la tête.

a. De peur qu'ils aient froid pendant la nuit, je leur ai donné une couverture supplémentaire.

b. Comme Anne m'avait téléphoné, je ne me suis pas inquiété de son absence.

c. C'est en lisant *Elle* que j'ai appris le mariage de Marie-Christine Barrault et Roger Vadim.

d. Leur père a eu droit à quelques jours de repos pour avoir fait beaucoup d'heures supplémentaires les derniers mois.

e. Étant donné la grève de la R.A.T.P., la circulation est très dense aujourd'hui.

f. Sous l'impulsion de son mari, elle a écrit un roman autobiographique.

g. La tempête a provoqué des dégâts matériels très lourds dans la vallée du Rhône.

h. Nous avons laissé la clé sous le paillasson de peur que Nicolas ait oublié la sienne.

i. Puisque ses parents le lui avaient interdit, Antoine ne nous a pas rejoints.

j. Tu n'as pas pris la route de peur qu'elle soit verglacée ?

224 Imaginez les questions.

✓ Exemple : Pourquoi tournes-tu à gauche ? ◀ Parce que ce chemin est plus rapide.

a. .... ? À cause du soleil.

b. .... ? En raison de la grève des transports.

c. .... ? Parce qu'il aime jouer.

d. .... ? Car je ne bois jamais entre les repas.

e. .... ? Parce que nous avons une maison là-bas.

f. .... ? Parce que j'aime cuisiner.

g. .... ? De crainte d'arriver en retard à mon rendez-vous.

h. .... ? Parce qu'elle part en Chine.

i. .... ? Parce que je suis curieuse.

j. .... ? Car nous adorons la cuisine japonaise.

B. L'expression de la cause suivie d'un nom ou d'un infinitif

225 Complétez les phrases suivantes en utilisant *à*, *de / du*, *par* ou laissez tel quel.

✓ Exemples : Elle a obtenu ce poste de professeur grâce **à** sa tante.

Pour .... les soldes, il y a beaucoup de monde au Forum des Halles*.

a. En raison .... mauvais temps, le trafic aérien est interrompu.

b. La faiblesse de Marie s'explique .... sa longue maladie.

c. Il n'est pas devenu pilote à cause .... sa mauvaise vue.

d. Vu .... la chute du dollar, le prix des vols internationaux va probablement augmenter.

e. Son succès s'explique .... sa forte capacité de travail.

f. Cette catastrophe écologique a été provoquée .... le naufrage d'un pétrolier.

g. Nous ne pourrons pas sortir ce soir à cause .... la grippe de Nicolas.

h. « Prête-moi ta plume pour .... l'amour de Dieu ! »

i. Elle n'est pas allée dans les grands magasins par crainte .... la cohue.

j. Michèle a réussi son concours grâce .... l'aide de son amie.

* Forum des Halles : grand centre commercial dans le quartier des Halles à Paris

226 **Transformez ces phrases en utilisant** *de peur de* **ou** *de crainte de.*

✓ Exemple : Elle préfère ne rien dire ; elle a peur des critiques.
▸ Elle préfère ne rien dire de peur d'être critiquée.

a. Dominique ne s'expose jamais au soleil ; elle a peur des brûlures.

....

b. Vous n'allez pas souvent au cinéma ; vous ne voulez pas faire la queue ?

....

c. Jean n'a jamais d'argent chez lui ; il a peur des cambrioleurs.

....

d. Béatrice Dalle porte souvent des lunettes ; elle a peur qu'on la reconnaisse.

....

e. Tous les soirs, Frédéric débranche son téléphone ; il craint qu'on le réveille.

....

f. Ma voisine est régulièrement au régime ; elle ne veut pas grossir.

....

g. Les enfants mentent à leurs parents lorsqu'ils craignent qu'on les gronde.

....

h. Elle a arrêté de fumer ; elle a peur du cancer.

....

i. Il préfère ne pas faire la grève ; il ne veut pas être licencié.

....

j. Je vais prendre de gros pull-overs ; je crains le froid en montagne.

....

C. L'expression de la cause suivie de l'indicatif ou du subjonctif

227 **Associez les éléments suivants pour en faire des phrases.**

✓ Exemple : Du fait que nous sommes étrangers, nous ne connaissons pas grand monde.

a. Du fait que nous sommes étrangers
b. Puisque vous ne connaissez pas la Bretagne
c. Elle a quitté le bureau très tôt
d. Comme j'avais mal au genou
e. Étant donné qu'il faisait très beau
f. Christine a été très gâtée
g. Vu qu'il parle russe couramment
h. Ils ont déménagé
i. Je regrette que Nicole Pelletier soit partie
j. Sophie ne restera pas ce soir

1. on a pris un bain de soleil sur la plage.
2. nous ne connaissons pas grand monde.
3. car elle avait un rendez-vous à 15 h.
4. il a obtenu un poste à Moscou.
5. venez-donc avec nous.
6. parce que c'était son anniversaire hier.
7. sous prétexte qu'ils ne supportaient pas la banlieue.
8. je n'ai pas skié aujourd'hui.
9. puisque son frère l'attend.
10. d'autant plus qu'elle était une excellente dactylo.

228 **Soulignez les parties de phrases exprimant la cause.**

✓ Exemples : <u>Comme il faisait assez beau</u>, ils ont fait du camping dans les Alpes.

Il est arrivé en retard ; <u>son réveil n'avait pas sonné.</u>

a. On n'avait rien de spécial à faire ; on est allé au cinéma.
b. Comme ils le leur avaient conseillé, elles ont voyagé de nuit.
c. Arlette ne peut pas aller faire les courses à cette heure-ci ; les magasins sont fermés.
d. Vous refusez de m'accompagner : j'irai voir le directeur toute seule.
e. Jean lui téléphonera dès son retour car il est inquiet à son sujet.
f. Comme Pauline voudrait faire Sciences politiques, elle va préparer son concours d'entrée avec acharnement.
g. Ne sois pas étonné qu'elle vote pour les écologistes puisqu'elle a toujours été proche de la nature.
h. Comme Joseph a le mal de mer, tu penses qu'il prendra quand même le bateau ?
i. Ils ne veulent plus discuter avec leurs parents ; ils sont très intolérants !
j. Puisque tu veux faire des progrès en anglais, tu devrais passer quelques mois aux U.S.A.

229 Soulignez les expressions introduisant la cause, suivies du subjonctif.

✓ Exemples : Étant donné qu'il n'a pas terminé son dossier, il rentrera tard.

Nous laisserons la lampe allumée <u>de peur que</u> vous ne reconnaissiez pas la maison.

a. De crainte qu'ils ne se sentent pas à l'aise chez nous, nous leur avons loué une chambre à l'hôtel.

b. Il se lèvera tôt demain d'autant plus qu'il a une journée très chargée.

c. Étant donné que j'ai beaucoup de temps libre, je vais souvent visiter des expositions de peinture.

d. Ce n'est pas qu'il ait complètement tort mais Alice n'est pas d'accord avec lui.

e. Puisque vous ne faites rien lundi soir, venez donc à la maison.

f. Elle est allée à la banque hier de peur qu'il y ait trop de monde aujourd'hui.

g. Par crainte de ne pas avoir de place dans le train, elle a réservé une couchette la semaine dernière.

h. Comme il a plu toute la journée, le jardin est trempé.

i. Ce n'est pas que je m'ennuie mais je dois rentrer.

j. Vu que le facteur est déjà passé, il doit être près de midi.

230 Complétez les phrases suivantes en utilisant : *de peur de*, *de peur que*, *de crainte de* ou *de crainte que*.

Exemples : On a choisi de venir en train ***de peur d'***avoir des embouteillages sur la route.

Ce film, elle est allée le voir hier soir, ***de peur qu'***il ne passe plus la semaine prochaine.

a. Catherine leur a demandé un plan .... se perdre en allant chez eux.

b. Il a téléphoné à sa femme .... elle ne s'inquiète de son retard.

c. Les personnes âgées se font vacciner .... attraper la grippe.

d. .... il n'oublie notre rendez-vous, pourriez-vous le rappeler ?

e. Il a noté mon nom dans son agenda .... l'oublier.

f. Elle a demandé conseil à sa mère .... se tromper dans la recette.

g. Je lui recommande de rentrer ses plantes avant l'hiver .... elles ne gèlent.

h. .... tu ne t'ennuies pendant cette soirée, j'ai loué une vidéo pour toi.

i. On a pris les bottes .... il ne pleuve.

j. .... s'endormir au volant, Bénédicte a bu un café très fort.

D. La cause exprimée par le gérondif

231 **Reformulez ces phrases en utilisant le gérondif.**

✓ Exemple : Comme vous vous brossez les dents matin et soir, vous évitez les caries.
  ▶ En vous brossant les dents matin et soir, vous évitez les caries.

a. Parce que vous faites des repas légers, vous retrouverez une taille de guêpe.

....

b. On perd cette impression de lourdeur car on mange plus équilibré.

....

c. Puisque vous fumez moins, vous montez vos escaliers sans vous fatiguer.

....

d. Vous vous remusclerez parce que vous ferez cinq minutes de gymnastique par jour.

....

e. Comme tu baisses la température de ta chambre, ton sommeil est de meilleure qualité.

....

f. Votre teint est plus frais parce que vous consommez plus de légumes et de fruits.

....

g. Tu perds du poids car tu bois beaucoup d'eau.

....

h. Comme vous avez une vie réglée, vous ne souffrez pas du stress.

....

i. Puisque vous ne sautez plus de repas, votre régime est mieux équilibré.

....

j. Tes jambes ont dégonflé car tu ne prends plus de bains chauds.

....

La cause

232 *Choisissez la bonne formule.*

À LA SORTIE D'UN COURS DE FRANÇAIS.

Le professeur: Bertrand, pouvez-vous m'expliquer pourquoi vous ne m'avez pas rendu votre dissertation?

Bertrand: Justement, je voulais vous parler... Hier soir, je n'ai pas pu travailler chez moi (car/à cause de/comme) mon père: il a eu un accident et il est à l'hôpital.

Le professeur: J'espère que ce n'est pas grave; mais pourquoi ne pas m'avoir prévenu dès le début du cours?

Bertrand: (Par crainte de/De peur que/étant donné que) ça dérange votre classe. (Comme/Du fait de/C'est que) les élèves sont énervés (à cause de/sous prétexte que/ avec) les examens de fin d'année approchent, j'ai pensé qu'il valait mieux vous prévenir plus tard.

Le professeur: Bertrand, vous êtes un brave garçon et vous êtes tout excusé! Rentrez chez vous et transmettez mes vœux de rétablissement à votre père!

Bertrand sort de la classe et retrouve Christine dans le couloir.

Christine: Alors, raconte! Qu'est-ce que tu as trouvé comme excuse?

Bertrand: (Grâce à/Ce n'est pas que/Car) je sois menteur mais je me trouve assez malin. Alors, (sous prétexte que/comme/du fait de) mon père est à l'hôpital, je n'ai plus de rédaction à faire.

Christine : Et tu trouves ça malin? Tant que tu y étais, tu aurais pu dire que ta mère était morte, comme dans *Les 400 Coups*!

Bertrand : Écoute, ce n'est pas bien grave. D'ailleurs, je suis sûr que mon père va déjà beaucoup mieux! Et puis (pour/grâce à/à cause de) avoir trouvé cette superbe excuse, je n'ai rien à faire et je t'emmène boire un diabolo-menthe. D'accord?

XIII. LE BUT

IL FAUT SOUFFRIR POUR ÊTRE BELLE.

233 **Soulignez les éléments qui expriment le but ou la finalité d'une action.**

✓ Exemple : Nous t'offrons ce billet d'avion <u>afin que</u> tu puisses venir en France.

a. La société Velin a fait un sondage afin de connaître l'opinion des consommateurs.

b. Elle ne lui a rien dit de peur qu'il ne se fâche.

c. Je te préviens maintenant pour que tu ne t'inquiètes pas.

d. Les policiers enquêtent de manière à recueillir de nouveaux témoignages.

e. Ce rapport sera publié dans la presse afin qu'il soit rendu public.

f. Pour être en forme, mangez des produits naturels !

g. Vous corrigerez ce texte de façon à ce que tout soit prêt lundi.

h. Elles font des économies en vue de leur prochain voyage.

i. Cette loi devrait avoir pour but de réduire le chômage.

j. Il est sorti pour acheter des cigarettes.

234 **Indiquez le but en utilisant *pour* suivi de l'infinitif.**

✓ Exemple : consulter le minitel ▶ Pour trouver un numéro de téléphone en province, consulter le minitel.

a. téléphoner après 23 heures ....

b. regarder les petites annonces ....

c. utiliser un four à micro-ondes ....

d. prendre le T.G.V. ....

e. acheter la presse quotidienne ....

f. souscrire à une assurance-vacances ....

g. comparer les prix ....

h. avoir un congélateur ....

i. se marier ....

j. aller au concert ....

235 *Pour que* + subjonctif. Faites des phrases d'après le modèle (utilisez deux sujets différents).

✓ Exemple : accompagner/ne pas être en retard
　　　▸ *Je* vais t'accompagner pour que *tu* ne sois pas en retard.

a. insister/partir en vacances ....

b. avertir/ne pas s'inquiéter ....

c. inviter au restaurant/ne pas faire la cuisine ....

d. téléphoner au plombier/réparer la douche ....

e. aider/terminer plus tôt ....

f. faire un plan/ne pas se perdre ....

g. Prêter de l'argent/acheter une voiture ....

h. écrire/avoir une autre version des faits ....

i. proposer une grande variété de produits/choisir ....

j. prévenir/ne pas avoir de problèmes ....

236 **Reliez les deux phrases avec** *pour* **ou** *pour que*.

✓ Exemple : Je vous apporte ce texte. Vous me donnerez votre avis.
　　　▸ Je vous apporte ce texte *pour que* vous me donniez votre avis.

a. Je leur ai téléphoné. Ils ne viendront pas avant 15 heures.
....

b. Le médecin a prescrit un arrêt de maladie. Elle va se reposer.
....

c. Christine et Paul font des travaux. Ils veulent agrandir la maison.
....

d. Claire prend le métro. Elle se déplace plus rapidement.
....

e. Il nous fait un prix. Nous achetons la caméra chez lui.
....

f. Tu lui racontes une histoire. Elle s'endormira plus facilement.
....

g. Les journalistes se sont déplacés. Ils veulent vous interroger.
....

h. J'ai acheté du beaujolais nouveau. Vous allez y goûter !
....

i. Camille est venue. Elle m'a demandé des conseils.
....

j. Les Dupont nous invitent. Ils fêtent leur dixième anniversaire de mariage.
....

237 **Reliez les éléments suivants.**

✓ Exemple : Renault propose un modèle plus luxueux afin de toucher une clientèle aisée.

a. Renault propose un modèle plus luxueux

b. Les organisateurs porteront un badge

c. Il faut acheter de l'essence sans plomb

d. Il y a beaucoup de sondages

e. La vitesse est limitée sur les autoroutes

f. La radio conseille de partir avant 16 heures

g. Il faut augmenter le salaire minimum

h. De nombreux stages sont organisés

i. Les banques proposent « l'épargne-logement »

j. Le gouvernement offre des allocations familiales

1 afin qu'il y ait moins de pollution.

2. afin de connaître l'opinion du public.

3. afin qu'il y ait moins d'accidents.

4. afin qu'on les reconnaisse.

5. afin de toucher une clientèle aisée.

6. afin d'améliorer la formation professionnelle.

7. afin d'encourager la natalité.

8. afin d'éviter les embouteillages.

9. afin que les ouvriers soient mieux payés.

10. afin que leurs clients puissent acheter une maison.

238 **Choisissez la bonne formule et complétez les phrases suivantes.**

✓ Exemple : *Pour* recevoir les numéros précédents, renvoyez ce bulletin à *L'Aube-journal*.

pour/pour que

a. Je lui ai donné ce médicament........... il ne soit pas malade en avion.

b. .... avoir les meilleures places, abonnez-vous au Théâtre de la Ville.

afin de/ afin que

c. J'ai embauché une nouvelle secrétaire........... vous ayez moins de dactylographie.

d. Nous préférons prendre le train de nuit........... être moins fatigués.

de manière à/ de manière à ce que

e. Ton père a téléphoné........... avoir oublié le rendez-vous.

f. Charlotte essaie toujours deux fois ses chaussures .... elles ne lui aillent pas.

de peur de/ de peur que

g. Variez les aliments........... lui redonner de l'appétit.

h. J'ai beaucoup insisté sur ta présence........... il vienne.

de façon à/ de façon à ce que

i. Les touristes ne mangent plus de poisson cru .... il ne soit pas frais.

j. Sylvie vérifie à nouveau ses horaires de départ .... s'être trompée.

de crainte de/ de crainte que

239 **Faites le bon choix (soulignez la réponse correcte).**

✓ Exemple : Pierre a réglé son réveil (de façon à/de façon à ce que) les enfants
soient à l'heure au stade.

a. Le ministre de l'Éducation nationale (fait en sorte que/fait en sorte d') obtenir davantage de réussites au baccalauréat.

b. (En vue de/Dans le but de) la rentrée prochaine, ils font quelques travaux.

c. Le Conseil régional a décidé d'élargir le réseau routier (afin de/afin que) la circulation s'améliore.

d. J'ai mis mon sac devant la porte (de façon à/de façon à ce que) être prêt à partir demain matin.

e. Cet avertissement (a pour but/a pour finalité de) mieux informer des méfaits du tabac.

f. La grand-mère de Nicolas a fait cette proposition (de sorte que/afin de) son petit-fils puisse s'acheter une moto.

g. Elle a pris un compte épargne-logement (à seule fin de/à seule fin que) s'acheter un studio dans quelques années.

h. Cette campagne publicitaire (a pour but/a pour finalité de) la réduction des accidents domestiques.

i. Antoine a suivi cette formation (pour/pour que) être au courant des dernières techniques.

j. (De manière à ce qu'/De manière à) il y ait moins d'accidents en ville, la vitesse est limitée à 50 km/heure.

240 **Infinitif ou subjonctif ? Complétez les phrases suivantes d'après les modèles.**

✓ Exemples : Nous avons fait en sorte que **vous soyez** tous là. (vous/être)

Je vous appelle afin de **fixer** un nouveau rendez-vous. (je/fixer)

a. Aline a déménagé de manière à .... plus près de son travail. (elle/habiter)

b. Mes amis ont débranché leur téléphone pour que .... (on/ne pas les déranger)

c. J'ai retardé mon départ de façon à ce que .... ensemble. (nous/partir)

d. Vous avez tous pour but de .... cet examen, non ? (vous/réussir)

e. Nous les avons invités afin que .... une présentation du projet. (ils/faire)

f. Claude n'ose plus prendre ma voiture de peur d' .... un nouvel accident. (il/avoir)

g. Elle a fait en sorte que .... ! (vous/se disputer)

h. Je me suis arrangé de façon à .... plus tôt cet après-midi.   (je/sortir)

i. Eva se débrouille toujours de manière à ce que .... (tu/ne rien savoir)

j. Les employés préfèrent ne rien dire de crainte de .... leur place. (ils/perdre)

241 **Terminez les phrases.**

✓ Exemple : Je vous ai tout raconté de manière à ce que ***vous ne soyez pas surprise***.

a. Vous êtes venus plus tôt afin que ....

b. Pour faire des économies, ...

c. Je lui ai prêté la voiture pour que...

d. Sa belle-mère fait toujours en sorte que ....

e. Afin de réussir tous vos desserts, ...

f. Mes voisins ont créé une association qui a pour but de ....

g. Les écologistes se présentent aux élections de façon à ....

h. Un gardien de nuit a été embauché de manière à ce que...

i. Nous prions pour que ....

j. De peur de prendre l'avion,...

242 **Imaginez une finalité pour chacune de ces actions.**

✓ Exemple : arrêter de fumer
   ▶ Ton père arrête de fumer de crainte d'avoir le cancer

a. diminuer sa consommation d'alcool...

b. conduire moins vite ....

c. porter des lunettes ....

d. perdre du poids ....

e. faire du sport...

f. manger léger ....

g. aller chez le dentiste ....

h. prendre de l'aspirine ....

i. demander conseil à votre pharmacien ....

j. consulter un médecin ....

Le but

243 *Choisissez la bonne formule et complétez le texte suivant.*

LES ANNÉES 80

Beaucoup de Français se soucient de leur apparence ; les vêtements sont plus que jamais conçus .... (1) représenter des styles de vie, de façon à ce que chacun .... (2) choisir son « look ».

Et .... (3) être mieux dans leur peau, les Français s'occupent de leur corps : ils font du sport, mangent plus sainement...

Les cosmétiques masculins ont fait leur apparition .... (4) les hommes puissent eux aussi prendre soin de leur beauté.

Les enfants vivent plus longtemps avec leurs parents .... (5) suivre plus facilement des études.

L'entreprise développe la formation continue afin que son personnel .... (6) plus compétent. Peu de Français sont partisans de la mobilité et beaucoup préfèrent ne pas changer d'employeur .... (7) connaître le chômage.

Les mères de famille souhaitent travailler à mi-temps de manière à .... (8) plus de temps à l'éducation de leurs enfants.

Les Français sont de plus en plus attachés au temps libre ; les activités de loisirs se sont multipliées. .... (9) répondre à une demande grandissante.

Quant aux médias, la télévision fait de plus en plus appel à la publicité pour .... (10) d'importants financements nécessaires à la production audiovisuelle.

À vous de conclure si la qualité de vie des Français s'est améliorée !

(1) de manière à/de manière à ce que
(2) pouvoir/puisse
(3) pour/pour que
(4) afin de/afin que
(5) de façon à/de façon à ce que

(6) être/soit
(7) de crainte de/de crainte que
(8) consacrer/consacrent
(9) afin de/afin que
(10) obtenir/obtiennent

XIV. L'INFINITIF

MIEUX VAUT PRÉVENIR QUE GUÉRIR.

A. Infinitif présent et infinitif passé

244 «Partir, c'est mourir un peu», «Mieux vaut prévenir que guérir».
Imaginez d'autres proverbes construits sur ces mêmes modèles.

✓ Exemples: Partir, c'est toujours revivre. Mieux vaut rire que pleurer.

a. Lire, c'est . . . .   f. Mieux vaut oublier que . . . .

b. Travailler c'est . . . .   g. Mieux vaut se taire que . . . .

c. Jouer c'est . . . .   h. Mieux vaut courir . . . .

d. Oublier c'est . . . .   i. Mieux vaut rêver . . . .

e. Dormir c'est . . . .   j. Mieux vaut agir . . . .

245 Associez les éléments suivants pour en faire des phrases.

✓ Exemple: J'entends siffler le train.

a. J'entends   1. nager le crawl.

b. Étienne part   2. partir hier.

c. Arlette pensait   3. siffler le train.

d. Nous savons   4. accompagner les enfants à l'école.

e. Les enfants apprennent   5. obtenir leur diplôme cette année.

f. Ils espèrent   6. courir les chevaux.

g. Je viens   7. à lire à 6 ans.

h. Nous allons   8. perdre son temps.

i. Mon oncle déteste   9. de recevoir une lettre de mon frère.

j. Je regarde   10. nous promener dans les bois.

246 Transformez les phrases d'après les modèles.

✓ Exemples: Il *conduit* bien? (savoir)
       ▶ Il *sait* bien *conduire*?

       Occupez-vous de ce courrier. (pouvoir)
       ▶ Vous *pouvez* vous *occuper* de ce courrier.

a. Elle prend le métro, c'est plus rapide. (préférer) . . . .

b. Les Dupont dînent avec nous ce soir. (venir) . . . .

c. Vous partez bientôt? (aller) . . . .

d. Ton mari fait la cuisine? (aimer) . . . .

e. Asseyez-vous. (vouloir) . . . .

f. Nous déménageons le mois prochain. (espérer) . . . .

g. Tu as réparé la table du salon? (faire) . . . .

h. Éteignez vos cigarettes, s'il vous plaît. (pouvoir) . . . .

i. Juliette achètera les desserts tout à l'heure. (sortir) . . . .

j. Vous comprenez la situation. (devoir) . . . .

247 **Terminez les phrases suivantes en utilisant l'infinitif chaque fois que cela est possible.**

✓ Exemples: Il commence à **pleuvoir**.

Elle **participe** à ce spectacle.

a. Elle a fini par . . . .

b. Êtes-vous prêt à . . . .

c. Vous avez parlé à . . . .

d. Michel est rentré sans . . . .

e. N'oublie pas de . . . .

f. Ce camping est très éloigné de . . . .

g. Nous sommes venus pour . . . .

h. Il est vivement conseillé de . . . .

i. Thomas a menti à . . . .

j. J'ai envie de . . . .

248 **Faites une phrase avec chacune de ces expressions, suivies d'un infinitif.**

✓ Exemple: (avoir peur de) ▶ Nous avons peur de prendre cet avion.

a. (être en train de) . . . .

b. (venir de) . . . .

c. (tenir à) . . . .

d. (avoir besoin de) . . . .

e. (prendre le temps de) . . . .

f. (être habitué à) . . . .

g. (renoncer à) . . . .

h. (se souvenir de) . . . .

i. (être facile à) . . . .

j. (être fatigué de) . . . .

Connaissez-vous d'autres expressions suivies de l'infinitif?

249 **Exprimez un ordre ou un conseil. Remplacez l'impératif par l'infinitif.**

✓ Exemples: Fermez la porte. ▶ Prière de fermer la porte.

Ne fumez pas s'il vous plaît. ▶ Ne pas fumer s'il vous plaît.

a. Ne faites pas de bruit. ....

b. Éteignez les lumières en sortant. ....

c. Entrez sans frapper. ....

d. Ne stationnez pas devant l'entrée. ....

e. Adressez-vous au gardien de l'immeuble. ....

f. Prenez les rendez-vous par téléphone. ....

g. Ne mangez pas entre les repas. ....

h. Nettoyez bien tous les légumes. ....

i. Ne mettez pas les pieds sur la table. ....

j. Ne marchez pas sur les pelouses. ....

250 **Voici une recette de cuisine. Mettez les verbes à l'infinitif.**

HACHIS PARMENTIER.

500g de pommes de terre – 200g de viande de bœuf hachée – 200g de viande de veau hachée – 1 oignon – 20g de gruyère – sel – poivre – noix de muscade en poudre.

(*Faites cuire*)............... les pommes de terre à la vapeur. Pendant ce temps, (*hâchez*)............... finement l'oignon; (*mélangez*-le)............... à la viande. (*Salez*)............... et (*poivrez*)............... (*Faites revenir*)............... le tout dans une poêle. (*Passez*)............... ensuite les pommes de terre au mixer. (*Ajoutez*)............... une pincée de noix de muscade. (*Disposez*)............... alternativement dans un plat allant au four une couche de purée, une couche de viande. (*Finissez*)............... par une couche de purée. (*Saupoudrez*)............... de gruyère et (*mettez*)............... au four à température moyenne. Bon appétit!

À vous maintenant de proposer la recette d'un plat typique de votre région ou votre pays (en utilisant l'infinitif).

Faire cuire les pommes de terre ....

....

....

....

....

....

251 **«On ne peut pas être et avoir été», mais on peut...
Complétez les phrases suivantes avec un infinitif passé.**

✓ Exemple: On peut aimer et **avoir aimé**.

a. On peut partir et ....
b. On peut croire et ....
c. On peut rire et ....
d. On peut réussir et ....
e. On peut mentir et ....

f. On peut se tromper et ....
g. On peut boire et ....
h. On peut apprendre et....................
i. On peut intervenir et....................
j. On peut prier et ....

252 **Exprimer une action antérieure. Complétez les phrases avec un infinitif passé.**

✓ Exemples: Nous sommes très heureux d'**avoir fait** votre connaissance. (faire)

Je regrette de **ne pas être resté** plus longtemps. (ne pas rester)

a. Je pense.................. suffisamment clair. (être)

b. Tu sembles.................. à tes projets! (ne pas renoncer)

c. Christian doit.................. à son but. (parvenir)

d. L'équipe de football croyait.................. la partie. (gagner)

e. Je suis sûr d'.................. à l'heure. (arriver)

f. Nous souhaitons.................. bonne impression. (faire)

g. Les voisins disent.................. de bruit hier soir. (ne pas entendre)

h. Mes amis ne se rappellent pas.................. ce jour-là. (sortir)

i. Je suis pourtant certaine d'.................. tes instructions. (suivre)

j. Vous dites.................. l'avion pour y aller! (ne pas prendre)

253 **À partir des éléments suivants, faites des phrases en utilisant l'infinitif passé.**

✓ Exemples: penser/rencontrer ▸ Je ne pensais pas l'avoir déjà rencontré.

avouer/tomber amoureux ▸ Simon avoue être tombé amoureux d'elle.

a. croire/éteindre les phares ....

b. affirmer/attendre pendant des heures ....

c. espérer/terminer avant le retour du directeur ....

d. aimer/naître sur une île ....

e. penser/oublier ses clés ....

f. prétendre/changer d'avis ....

g. dire/rentrer de bonne heure ....

h. nier/participer à cette conversation ....

i. pouvoir/surprendre ....

j. imaginer/gagner le concours ....

254 **Remettez les phrases dans l'ordre (plusieurs formulations sont parfois possibles).**

✓ Exemple: propose/à la maison/de/je/dîner/vous/venir
   ▶ Je vous propose de venir dîner à la maison.

a. demander/il faut/Sylvie/à ....

b. souffler/le vent/écoute ....

c. pensait/à l'heure/terminé/Martine/avoir ....

d. de/lui/venir/a dit/qui/? ....

e. parler/a accepté/lui/elle/de ....

f. ce monsieur/reçu/affirme/notre lettre/avoir ....

g. cette table/devons/faire/nous/réparer ....

h. doit/elle/la voiture/pris/avoir ....

i. avoir/dit/éteint/Philippe/le gaz ....

j. j'ai/Véronique/la rue/aperçu/traverser ....

B. Propositions infinitives

255 **Remplacez la construction relative avec *qui* par un infinitif.**

✓ Exemple: J'ai entendu sa voiture qui démarrait.
   ▶ J'ai entendu sa voiture **démarrer**.

a. Les Martin ont aperçu le voleur qui s'enfuyait. ....

b. Nous regardons les militaires qui défilent sur les Champs-Élysées...........................

c. Elle a entendu Mathias qui rentrait vers trois heures du matin. ....

d. Nous pouvons voir l'avion qui atterrit. ....

e. Tu n'entends pas le chien qui aboie? ....

f. Béatrice regardait le soleil qui se couchait...

g. Ma grand-mère entend les voisins qui se disputent tous les soirs. ....

h. Ta fille a vu le chat qui courait après le facteur. ....

i. Il n'a pas senti le gâteau qui brûlait dans le four! ....

j. Vous n'avez pas vu les enfants qui jouaient dans le jardin? ....

256 **Transformez les phrases chaque fois que cela est possible.**

✓ Exemples: J'espère que je réussirai ce concours. ▶ J'espère réussir ce concours.

   J'espère que vous réussirez ce concours. ▶ (impossible)

a. Ton frère ne viendra pas, il dit qu'il est malade. ....

b. J'aimerais que tu écoutes ce disque. ....

c. Vous affirmez que vous êtes innocent. ....

d. On regrette qu'elle ne soit pas venue. ....

e. Mademoiselle Robin croit qu'elle chante juste. ....

f. Je ne pense pas que je viendrai ce week-end. ....

g. Tu avoues que tu ne l'aimes pas! ....

h. Ma cousine affirme qu'elle t'a vu ce matin. ....

i. Je crois qu'ils ont été cambriolés. ....

j. Il pense qu'il doit faire des excuses. ....

257 **Remplacez les constructions infinitives par les pronoms** *en, y,* **ou** *le* **(***l'***).**

✓ Exemple: Nous renonçons à faire ce voyage. ▶ Nous **y** renonçons.

a. Les employés se plaignent de ne pas gagner assez. ....

b. Je n'arrive pas à traduire ce texte. ....

c. Tu aurais besoin de prendre des vacances! ....

d. Florence s'habitue peu à peu à vivre seule. ....

e. Monsieur Durand se charge de rencontrer ces clients. ....

f. Il faut prendre les mesures nécessaires. ....

g. Vous affirmez avoir vu la lumière éclairée. ....

h. Tu as pensé à acheter du pain? ....

i. J'espère réussir ce concours. ....

j. Mes parents regrettent de ne pas te connaître. ....

L'infinitif

258 *Complétez le texte avec les verbes suivants
(à l'infinitif présent ou l'infinitif passé).*

passer – prendre – gagner – dormir – être – se souvenir – rouler – apprendre –
rire – voir – dire

    J'aimais............ un café dans un vieux bistrot* après............ la journée
au bureau. Comme j'étais souvent fatigué à cette heure-là, je m'asseyais et je
restais un moment sans rien............ Il y avait les habitués: un ancien boxeur
qui disait............plus de cent combats et un vieux monsieur qui fumait du
tabac à............ Le patron était content d'............ les nouvelles du quartier et
il inventait toujours des histoires à............ debout pour faire............ ses
clients. Je ne me rappelle pas............ plus triste que le jour où ce café a fermé.
Depuis, je ne peux pas............ un vieux bistrot sans............ de celui dont je
viens de vous parler.

* bistrot: bar, café

XV. LE PARTICIPE PRÉSENT ET LE GÉRONDIF

L'APPÉTIT VIENT EN MANGEANT.

A. Le participe présent

259 Écrivez le participe présent des verbes suivants.

✓ Exemple : pouvoir ▶ pouvant

a. être   ....
b. dire   ....
c. faire   ....
d. avoir   ....
e. savoir ....

f. mettre ....
g. finir   ....
h. prendre ....
i. vouloir ....
j. aller   ....

260 Transformez les phrases suivantes d'après l'exemple.

✓ Exemple : Pierre a beaucoup de travail, alors il rentre tard en ce moment.
▶ **Ayant** beaucoup de travail, Pierre rentre tard en ce moment.

a. Je dois passer à la banque aussi je sortirai plus tôt. ....

b. Mes enfants écrivent très mal et ils préfèrent téléphoner. ....

c. On lit souvent *L'Express* et on souhaite s'abonner. ....

d. Nicolas fait de la gymnastique alors il est devenu très musclé. ....

e. Comme nous déménageons la semaine prochaine, nous prendrons deux jours de congés.
....

f. Elle adore le jardinage et elle passe ses dimanches à s'occuper de ses fleurs. ....

g. Son fils est malade alors elle est ennuyée. ....

h. Son mari a une promotion mais il aura davantage de responsabilités. ....

i. Nous aimons la mer alors nous cherchons une maison à louer en Bretagne. ....

j. Comme tu souhaites trouver un emploi, tu envoies des lettres de candidature. ....

261 **Remplacez les phrases relatives par des participes présents.**

✓ Exemple : Mon père, qui s'intéresse beaucoup à l'archéologie, visite de nombreux sites romains.
   ▶ S'intéressant beaucoup à l'archéologie, mon père visite de nombreux sites romains.

a. Les Français, qui sont individualistes, apprécient pourtant la vie de famille.

....

b. La pluie qui tombe depuis ce matin va provoquer des inondations.

....

c. La voiture qui arrivait à mon niveau a tourné à gauche.

....

d. Ce chien, qui appartient au fermier, n'aime pas être dérangé lorsqu'il dort.

....

e. Les adolescents, qui n'ont pas beaucoup d'argent de poche, consacrent cependant une grande partie de leur budget à la musique.

....

f. Ce stage de formation qui commence dans un mois te permettra peut-être d'obtenir un poste plus intéressant.

....

g. Le musée du Louvre, qui subit des modifications importantes, attire toujours de nombreux touristes.

....

h. L'enseignement des langues étrangères, qui se développe considérablement en France, fait son entrée à l'école primaire.

....

i. Le Festival international du film, qui se tient à Cannes, attire chaque année un énorme public.

....

j. La Grande Bibliothèque de France, qui est actuellement en travaux, ouvrira ses portes avec un peu de retard.

....

262 **Reformulez la cause à l'aide d'un participe présent.**

✓ Exemple : Le professeur Cohen sera en province le 15 juin ; il ne pourra pas vous recevoir.
   ▶ Le professeur Cohen étant en province le 15 juin, ne pourra pas vous recevoir.

a. L'eau douce vient à manquer ; des cargos approvisionnent l'île.

....

b. La grève de la S.N.C.F. est prévue pour le 3 avril ; il n'y aura pas de trains ce jour-là.

....

c. Les enfants partent en vacances ; nous acceptons votre invitation avec joie.

....

d. Pierre travaille samedi prochain, alors il ne nous accompagnera pas au Mont-Saint-Michel.

....

e. L'école ferme le 6 juillet, aussi nous partirons le 7 au matin.

....

f. Comme la séance se termine à 22 heures, ils rentreront tard dans la soirée.

....

g. Je ne comprends pas la raison de votre silence, c'est pourquoi je vous écris de nouveau.

....

h. Nous cherchons un studio pour la rentrée, aussi faisons-nous appel à votre gentillesse !

....

i. Comme je m'intéresse à votre projet, je souhaiterais y collaborer.

....

j. Puisque vous passerez près de chez nous cet été, venez-nous voir.

....

B. Le gérondif

263 **Soulignez les gérondifs.**

✓ Exemples : <u>En lisant</u> cet essai, il a appris beaucoup de choses.

Vivant depuis plusieurs années aux USA, elle fait beaucoup d'anglicismes.

a. Tu devrais feuilleter un magazine en attendant l'heure du rendez-vous.

b. Détestant faire la cuisine, Françoise invite toujours ses amis au restaurant.

c. Il s'est découvert une passion pour l'alpinisme en suivant ce reportage à la télévision.

d. Menant une existence trop confortable, les jeunes cadres recherchent l'aventure.

e. Elle se calme en jouant du piano.

f. Ayant adoré *Faust* qu'ils ont vu à Bercy, ils ont pris un abonnement à l'Opéra.

g. C'est insupportable : il parle toujours en mangeant.

h. Ils se sont mariés en se connaissant à peine.

i. Tu irais peut-être mieux en voyant un psychologue.

j. Ayant bien dormi pendant le vol, nous ne ressentons pas le décalage horaire.

264 **Pour exprimer la manière. Dites le contraire.**

✓ Exemple : Elle rentre à la maison sans courir.
    ▸ Elle rentre à la maison ***en courant***.

a. Tu prends une douche sans te dépêcher. ....

b. Elles travaillent sans écouter la radio. ....

c. Vous réussissez sans faire d'efforts. ....

d. On fait la queue devant le cinéma sans bavarder. ....

e. Michel a gagné un voyage sans savoir répondre aux questions posées. ....

f. J'ai appris l'anglais sans vivre en Écosse. ....

g. Qui est arrivé le premier ? Moi, sans prendre le raccourci. ....

h. Elle a répondu à la question sans chercher dans le dictionnaire. ....

i. Ils ont trouvé un logement sans lire les petites annonces. ....

j. Nous avons compris l'intrigue sans finir le roman. ....

5 Pour exprimer la simultanéité. Transformez selon le modèle.

✓ Exemple : Tu as trouvé ce bracelet alors que tu attendais un taxi ?
▶ Tu as trouvé ce bracelet **en attendant** un taxi ?

a. Laurent s'est tordu la cheville quand il jouait au football.

....

b. Pendant qu'ils rangeaient le buffet, ils ont retrouvé votre montre.

....

c. Avez-vous visité Quiberon lorsque vous êtes allés à Belle-Ile ?

....

d. Son mari a eu une panne de voiture quand il est allé les retrouver à Lyon.

....

e. Alors qu'elle se promenait dans la forêt, elle a aperçu une biche.

....

f. Thomas a gagné 500 francs quand il a joué au Tac-o-Tac.

....

g. Nous avons rencontré Alice alors que nous faisions des courses samedi matin.

....

h. Les enfants crient très fort quand ils jouent à chat.

....

i. Lorsqu'elle est émue, elle rit et pleure en même temps.

....

j. Elle tremblait quand elle attendait le résultat de son entretien.

....

6 Pour exprimer la cause. Réécrivez ces phrases en utilisant un gérondif.

✓ Exemple : Ils ont perdu du temps parce qu'ils ont pris leur voiture pour aller au théâtre.
▶ Ils ont perdu du temps **en prenant** leur voiture pour aller au théâtre.

a. J'ai appris la nouvelle car j'ai écouté la radio dans la voiture.

....

b. Nous avons obtenu ce délai car nous avons négocié avec les intéressés.

....

c. Nicolas a gagné une coupe parce qu'il a nagé 500 mètres à la brasse.

....

d. Parce qu'on marche très vite, on arrivera avant la tombée de la nuit.

....

e. Étant donné que vous ne lisez pas la presse, vous n'êtes pas au courant de l'actualité.

....

f. Comme vous menez une vie saine, vous vous sentez bien.

....

g. Sophie a rencontré beaucoup d'amis parce qu'elle participe à des activités para-scolaires.

....

h. Tu es moins stressé que moi car tu habites à la campagne.

....

i. On boit moins de café alors on dort beaucoup mieux.

....

j. Charlotte s'est décidée parce qu'elle a vu les nouveaux plans de l'appartement.

....

267 **Pour exprimer la condition, utilisez le gérondif.**

✓ Exemple : Si tu parlais plus franchement, tu simplifierais nos relations.
   ▸ *En parlant* plus franchement, tu simplifierais nos relations.

a. Vous vous occuperiez mieux de vos enfants si vous aviez davantage de temps libre.

....

b. Si tu as de la chance, tu retrouveras tes lunettes au restaurant.

....

c. À condition d'être plus attentives, on comprendrait mieux les explications.

....

d. Vous arriverez à l'heure à condition de prendre le métro.

....

e. Si elle se coiffait autrement, elle paraîtrait plus jeune.

....

f. Hugo jouerait mieux au tennis s'il tenait sa raquette plus droite.

....

g. Vous devriez porter des lunettes ; vous auriez moins de difficultés à lire.

....

h. Ce soir, à condition de rentrer tôt, nous pourrons regarder le film à la télévision.

....

i. Si on savait mieux nager, on ferait un stage de voile cet été.

....

j. Vous aurez des places dans le TGV à condition de faire vos réservations assez tôt.

....

268 **Complétez les phrases en employant un gérondif.**

✓ Exemple : Il se rase *en regardant par la fenêtre*.

a. Je fais mes exercices de grammaire ....

b. Nous préparons les bagages..

c. Tu tries tes papiers ....

d. Elle s'habille ....

e. Les étudiants discutent..

f. Ma mère lit au soleil ....

g. Les enfants s'amusent ....

h. Vous conduisez...

i. On déjeune ....

j. Je me couche ....

269 Utilisez le gérondif lorsque c'est possible.

✓ Exemples : Comme il fait très beau, nous pourrions faire une promenade sur la plage.◗ Ø

Marie s'est cassé une dent lorsqu'elle mangeait un caramel.
◗ Marie s'est cassé une dent en mangeant un caramel.

a. Pendant que je t'attendais, j'ai feuilleté des revues.

....

b. Tu étais pris dans les embouteillages alors que je prenais tranquillement le thé avec ta sœur. ....

c. Il a fait d'énormes progrès en français parce qu'il a passé une année au pair à Bordeaux.

....

d. Elle a rencontré des personnes très intéressantes lorsqu'elle a fait son stage en entreprise.

....

e. Les enfants se sont réveillés pendant qu'on garait la voiture.

....

f. On a découvert la vérité lorsqu'on a discuté avec lui.

....

g. Jacques est tombé du cerisier alors qu'il installait un épouvantail.

....

h. Le temps a changé lorsque le vent s'est levé.

....

i. Mon frère lui a fait plaisir parce qu'il lui a écrit.

....

j. L'industrie automobile française se maintient car elle exporte de nombreux modèles vers l'étranger. ....

Le participe présent et le gérondif

270 *Écrivez les verbes indiqués au participe présent ou au gérondif.*

LA RUBRIQUE SANTÉ DU MAGAZINE *BONJOUR MADAME*

" (1) ...., vous avez pris quelques rondeurs que vous souhaitez chasser. À cela, rien d'étonnant : (2) .... de bon appétit et (3) .... peu d'exercice physique, les sucres et les graisses s'installent, (4) .... votre silhouette. Surtout, ne baissez pas les bras ! Vous perdrez du poids (5) .... un litre et demi d'eau par jour ; vous éliminerez ainsi davantage. Parallèlement, n'hésitez pas à faire 10 minutes de gymnastique au réveil sans compter des petits exercices (6) .... les dents ou (7) .... votre emploi du temps de la journée. (3) .... travailler votre corps, vous serez plus musclée. Bien sûr, surveillez également votre alimentation : (2) .... moins, et plus léger, votre organisme puisera dans vos réserves excédentaires. Enfin, n'oubliez pas : les gens (8) .... une vie saine ne souffrent pas de stress et ne se calment pas (9) .... à toute heure.

1. vieillir	4. alourdir	7. organiser
2. manger	5. boire	8. mener
3. faire	6. se brosser	9. grignoter

Corrigés

I. Les relatifs

1– a. Il rêve de cette moto. — **b.** Nous ne discutons jamais de ce problème. — **c.** Elle adore la voix de cet animateur de radio. — **d.** Ils évitent de parler de ce sujet — **e.** Mon père est très fier de ce tableau — **f.** Il ne reste plus rien de cette ville. — **g.** J'ai cassé le bracelet de cette montre. — **h.** Tu te souviens de ce film ? — **i.** Le frère de cet ami vit à Bilbao. — **j.** Vous jouez le mieux de cet instrument.

2– a. Elle s'est acheté la maison bleue dont elle rêvait.— **b.** C'est un sérieux problème dont tu as déjà parlé. — **c.** Tu as vu la petite brune dont il est amoureux ? — **d.** C'est un professeur de littérature comparée dont j'ai oublié le nom. — **e.** Eva m'a enfin donné l'argent dont j'avais besoin. — **f.** Tu connais Francisco dont la mère est chilienne ? — **g.** C'est un jeune peintre dont les tableaux... — **h.** J'ai rencontré la nouvelle secrétaire dont on dit beaucoup de bien. — **i.** Tu as remarqué cette maison dont les volets... ? — **j.** Ma grand-mère parle toujours de ce voyage dont elle se souvient encore.

3– a. qui — **b.** que — **c.** dont — **d.** où — **e.** dont — **f.** qui — **g.** dont — **h.** que — **i.** où — **j.** dont

4– a. Dominique est amoureuse d'un homme dont elle ne sait rien. — **b.** Je vais passer mes vacances dans une villa que j'ai louée. — **c.** On a retrouvé nos amis qu'on avait perdus de vue. — **d.** Tu as revu ce journaliste qui t'avait interviewé. — **e.** Michèle et Anne passent leurs vacances en Espagne où elles ont... — **f.** Tu peux me donner l'adresse d'un restaurant où tu vas... — **g.** François a trouvé un nouvel appartement qui est... — **h.** Avez-vous vu ce film qui est passé... — **i.** Sophie n'a pas apprécié l'humour du copain dont tu lui avais beaucoup parlé. — **j.** Avez-vous le numéro de téléphone où je peux joindre mon père ?

5– qui — où — dont — qui — où — dont — que — qui — qui — dont.

6– a. a tricotés — **b.** a commencé — **c.** as achetés — **d.** a emprunté — **e.** a faite — **f.** avons mangées — **g.** ont trouvé — **h.** a cueillis — **i.** a vécu — **j.** ont connu

7– Réponses possibles : a. que je ne savais pas / que tu m'avais déjà racontées — **b.** qui est sur la table / qui est cassé — **c.** où nous venons souvent / où nous avons pique-niqué dimanche dernier — **d.** dont on a parlé à la télévision / dont tu seras fou — **e.** qui viennent du Pérou / qui ont vécu à Nantes — **f.** où il pleuvait / où j'étais allé au cinéma — **g.** dont je t'ai parlé / dont on dit beaucoup de bien — **h.** dont j'aime la voix / dont les critiques parlent souvent — **i.** que j'ai peu connue / que tu as présentée à tes nouveaux amis — **j.** dont on parle dans la presse / dont les œuvres sont peu connues

8– a. de qui — **b.** sur qui — **c.** pour qui / à qui — **d.** à qui **e.** qui — **f.** avec qui — **g.** pour qui — **h.** à qui / avec qui / pour qui — **i.** à qui / avec qui / de qui — **j.** de qui / à qui / avec qui

9– a. ce que 3 — **b.** ce qui 5 — **c.** ce que 2 (ce qui 5) — **d.** ce que 7 — **e.** ce qui 1/5 — **f.** ce que 2/4 (f ce qui 6) — **g.** ce qui 5/11 — **h.** ce qui 6 — **i.** ce qui 5/10 — **j.** ce que 2/4/8 (j ce qui 6) — **k.** ce que 2/9

10– a. C'est Pierre qui présentera — **b.** C'est moi qui te l'ai — **c.** C'est votre réputation que vous risquez. — **d.** C'est le village dont Etienne vous — **e.** C'est lui qui me l'a — **f.** C'est cette voiture dont nous voulons — **g.** C'est toi qui as vu — **h.** C'est la même réponse que je lui ai donnée. — **i.** C'est le livre dont vous êtes — **j.** C'est cette exposition que Brigitte

11– a. C'est à Paris que je l'ai rencontré — **b.** C'est pour des raisons techniques que le vol a été annulé — **c.** C'est Jean-Paul Kauffman qui est l'auteur — **d.** C'est la pyramide du Louvre qui est le monument — **e.** C'est la rose que je préfère — **f.** C'est nous qui déjeunons — **g.** C'est la café qui me — **h.** C'est moi qui vais — **i.** C'est en lui expliquant qu'il a reconnu — **j.** C'est le chien qui

12– a. qui — **b.** ce que — **c.** ce qui — **d.** avec qui — **e.** à qui — **f.** à qui — **g.** ce que — **h.** pour qui — **i.** de qui — **j.** qui

13– a. laquelle — **b.** laquelle — **c.** lequel — **d.** laquelle — **e.** lesquelles — **f.** lequel — **g.** lesquels — **h.** laquelle — **i.** lequel — **j.** lesquelles

14– a. auxquelles — **b.** auquel — **c.** auxquelles — **d.** auquel — **e.** auxquels — **f.** à laquelle — **g.** auxquels — **h.** à laquelle — **i.** auquel — **j.** auxquels

15– a. duquel — **b.** de laquelle — **c.** de laquelle — **d.** duquel — **e.** de laquelle — **f.** duquel — **g.** desquels — **h.** de laquelle — **i.** duquel — **j.** de laquelle

16– a. Brigitte a passé 3 ans à Barcelone au cours desquels elle a beaucoup écrit — **b.** Le nouveau président a fait beaucoup de promesses parmi lesquelles une meilleure — **c.** Il passe actuellement un concours à la suite duquel il — **d.** Vous prenez la première rue à droite au bout de laquelle il y a — **e.** Emma a perdu son ours en peluche avec lequel elle aimait beaucoup jouer. — **f.** Faites attention à la date limite au-delà de laquelle vous paierez plus cher. — **g.** C'est un beau chemin tout au long duquel il y a — **h.** Les Lavigne sont de très bons amis sur lesquels on peut compter. — **i.** C'est une guerre injuste contre laquelle il faut lutter. — **j.** Sylvie a reçu beaucoup de fleurs au milieu desquelles il y avait

17– Bilan : qui — lesquelles — auxquels — où (dans lesquels) — dont — lequel — qui — qui — duquel — sur laquelle (où) — que — à qui (avec qui) — lesquels — à laquelle — desquels — lesquelles — desquelles — auxquelles / à qui

II. Pronoms personnels compléments

18– a. Nous le connaissons — **b.** Son frère vous ignore — **c.** Que Pauline le déteste — **d.** Ils l'ont annoncé — **e.** Elle les a traduits — **f.** Nous la rencontrons — **g.** Tu les laisses — **h.** Les Martin nous invitent à — **i.** Vous ne voulez pas l'emmener — **j.** Un journaliste d'A2 vous a interviewés ?

19– a. Nous leur avons donné l'autorisation — **b.** Il lui a vendu sa voiture — **c.** Tu me rends mon livre — **d.** Elle nous a menti — **e.** Je lui ai répondu — **f.** Tu me plais — **g.** Ils te proposent — **h.** Je vous écris dès que j'ai — **i.** Il lui offre un billet — **j.** Je te réponds.

20– a. l' — **b.** lui — **c.** lui — **d.** la — **e.** l' — **f.** la — **g.** le — **h.** la — **i.** lui — **j.** lui — l'

21– a. Je lui ai téléphoné — **b.** Je ne la mets pas — **c.** Ils sont toujours avec elle — **d.** Nous ne l'avons pas rencontrée — **e.** Ils lui ont écrit — **f.** Je ne l'ai pas regardé — **g.** Elle me parle toujours de lui — **h.** Nous souhaitons le louer — **i.** Je ne vais pas la manger — **j.** Nous l'avons acheté.

22– a. les — **b.** les — **c.** leur — **d.** les — **e.** leur — **f.** leur — **g.** les — **h.** les — **i.** leur — **j.** leur

23– a. 2 — **b.** 1/2 — **c.** 1/2 — **d.** 1 — **e.** 2 — **f.** 2 — **g.** 2/3 — **h.** 1 — **i.** 1/2 — **j.** 2/3

24– a. Mes parents y vont rarement — **b.** Thierry s'en plaint — **c.** Tu y restes ? — **d.** Il s'en aperçoit — **e.** Martine en connaît plusieurs — **f.** Nous y sommes préparés — **g.** Allons-y — **h.** En avez-vous pris ? — **i.** Voulez-vous en manger ? — **j.** Elle y croit ?

25– a. Elle ne peut plus se passer d'elle — **b.** Les enfants en ont peur — **c.** Elle n'est pas contente d'eux — **d.** J'en suis fier — **e.** Vous vous en occupez trop — **f.** Il est question de lui — **g.** J'en suis frappé — **h.** Il se méfie d'eux — **i.** Je déteste m'en mêler — **j.** Pourquoi se moque-t-il d'elle ?

26– a. Je (ne) m'adresserai (pas) à eux — **b.** Elle (ne) s'y est (pas) attachée — **c.** Je (ne) me joindrai (pas) à eux — **d.** Elle (ne) s'y consacre (pas) — **e.** Il (ne) s'intéresse (pas) à elle — **f.** J'y (je n'y) fais (pas) attention. **g.** J'y (je n'y) renonce (pas) — **h.** Ils (n') y songent (pas) — **i.** Elle (ne) pense (pas) souvent à lui — **j.** Je (ne) me suis (pas) confié à eux.

27– a. en — **b.** en — **c.** d'eux — **d.** à elle — **e.** y — **f.** à elle — **g.** d'elle — **h.** de lui — **i.** y — **j.** en

28– a. me — **b.** à elle — **c.** m' / à elle — **d.** lui / à elle — **e.** lui — **f.** lui — **g.** lui — **h.** te — **i.** à elle — **j.** lui

29– a. Je ne le crois pas — **b.** Tu ne le pensais pas — **c.** Souhaitons-le — **d.** Je l'imagine — **e.** Nous le reconnaissons — **f.** Je l'exige — **g.** Prouvez-le — **h.** Il l'avoue — **i.** Elle va le montrer — **j.** Le voulez-vous ?

30– a. Je ne m'y attendais pas — **b.** Ta sœur en a envie — **c.** Pensez-y — **d.** Tu n'en as plus l'habitude — **e.** Je n'y tiens pas — **f.** Tu en as l'intention — **g.** On vous y oblige — **h.** Annie s'en souvient — **i.** Vous y renoncez — **j.** Nous en sommes fiers

31– a. Envoie-lui des fleurs — **b.** Annonce-lui ton mariage — **c.** Prenez garde à eux — **d.** Dites-lui merci — **e.** Cache-lui la vérité — **f.** Ne te fie pas à elle — **g.** Conseillez-leur de — **h.** Joignez-vous à eux — **i.** Recommande-lui de — **j.** Ecrivez-lui plus souvent

32– a. Mangez du fromage / Mangez-en — **b.** Reconnaissons nos erreurs / Reconnaissons-les — **c.** Accompagnez Mme / Accompagnez-la — **d.** Va à la poste / Vas-y — **e.** Ne prends pas le métro / Ne le prends pas — **f.** Ne répondez pas à vos amis / Ne leur répondez pas — **g.** Attrape le ballon / Attrape-le — **h.** Écris au directeur / Écris-lui — **i.** Brûlons les feuilles / Brûlons-les — **j.** Ne pensez pas à votre retour / N'y pensez-pas

33– a. Il ne veut pas les prêter — **b.** En l'apercevant — **c.** Nous avons fait une erreur en l'invitant — **d.** J'ai beaucoup appris en l'écoutant — **e.** Il faut leur dire merci — **f.** Tu dois le finir — **g.** Elle va tout lui raconter — **h.** Essayez de le convaincre — **i.** Nous devrions mieux les définir — **j.** Je n'avais pas vu ce défaut en la choisissant.

34– a. Ne le laissez pas partir — **b.** Nous ne lui avons pas parlé — **c.** Sa visite ne nous a pas fait — **d.** Ne lui prête pas ta voiture — **e.** Je ne les entends pas — **f.** Ne leur dis pas ce que — **g.** Il ne faut pas vous — **h.** N'en mangez pas — **i.** Nous ne t'avions pas prévenu — **j.** N'y pensez pas

35– a. Tu me la prêtes ? — **b.** Vous pouvez me l'épeler — **c.** Tu me la racontes — **d.** Nous te l'avons rappelée — **e.** Les Dupeltier nous l'ont avouée — **f.** Je vous l'offre — **g.** Nous vous le ferons connaître — **h.** Le directeur me l'a proposé — **i.** Christine nous les a donnés — **j.** Elle te la donne ?

36– a. Ta fille nous l'a écrit — **b.** Il t'en apportera — **c.** Tu me les envoies — **d.** Nous vous le suggérons — **e.** Je te l'ai expliqué — **f.** Il vous le rappellera — **g.** Tu me l'avoues — **h.** On nous l'a assuré — **i.** Nous te l'avions pourtant précisé — **j.** Vous pouvez me la livrer ?

37– a. Tes voisins nous les ont confiées — **b.** Est-ce qu'il te l'a prêtée ? — **c.** Vous les leur avez suggérés — **d.** Brigitte me l'a montré — **e.** Michèle nous les a réservées — **f.** Le député nous l'a répété — **g.** Les Martin me l'ont conseillée — **h.** Grand-père vous l'a réparée — **i.** Hugo la lui a lancée — **j.** M. Allard vous les a recommandés

38– a. 3 — **b.** 2 — **c.** 4 — **d.** 6 — **e.** 1 — **f.** 5 — **g.** 8 — **h.** 10 — **i.** 9 — **j.** 7

39– a. 1 — **b.** 1/2 — **c.** 2/3 — **d.** 1 — **e.** 2 — **f.** 3 — **g.** 1 — **h.** 1 — **i.** 2/3 — **j.** 2/3

40– a. Ses amis lui en ont acheté — **b.** Michel s'en est inquiété — **c.** Je ne voudrais pas t'en empêcher — **d.** Firmin va vous y conduire — **e.** Est-ce que tu m'y autorises ? — **f.** Ne vous en approchez pas trop — **g.** Le mauvais temps les y oblige — **h.** Elle s'y consacre — **i.** Le propriétaire nous y autorise — **j.** Je m'en aperçois maintenant

41– a. Elle s'y intéresse — **b.** Il nous y invite — **c.** Ils ne s'en doutent pas — **d.** Je l'en ai averti — **e.** Il ne m'y accompagne pas — **f.** Nous vous en offrons — **g.** Je ne m'en occupe pas — **h.** Ils ne s'y opposent pas — **i.** Je t'y emmène — **j.** Il t'en croit capable

42– a. Grand-père vous y conduira — **b.** Cyril me la prête — **c.** Brigitte nous en a déjà parlé — **d.** Ma sœur te les a montrées ? — **e.** Il se le demande — **f.** Evelyne nous y a invités — **g.** Il me les décrit — **h.** Dominique te le propose — **i.** C'est ma belle-mère qui nous l'a offert — **j.** Elle ne vous les a pas demandées ?

43– a. Je les y accompagnerai — **b.** Je la lui proposerai — **c.** Elle le lui a reproché — **d.** Il m'en a parlé — **e.** Je les lui ai rendues — **f.** Nous leur en parlerons — **g.** Nous le lui transmettrons — **h.** Vous me la prêtez — **i.** Ils les lui ont déclarées — **j.** Elle la lui a demandée

44– Questions possibles : a. On vous a annoncé le mariage d'Étienne ? — **b.** Tu apprends la cuisine à votre fille au pair ? — **c.** Ta famille s'aperçoit de tes malaises ? — **d.** Tes amis te prêtent leur maison ? — **e.** Vous vous opposez à ce qu'ils se marient ? / à leur décision ? — **f.** Tu me conseilles de changer d'emploi ? — **g.** Vous achetez cette cassette vidéo à vos amis ? — **h.** Vous avez offert ce livre à votre père ? — **i.** Vous nous remettrez le dossier demain ? —

j. Tu accompagnes tes parents à l'aéroport ?

45– a. Vas-tu le lui interdire ? — **b.** Il a essayé de les lui raconter — **c.** J'aimerais la lui offrir — **d.** Veux-tu la leur rendre ? — **e.** Je refuse de le lui prêter — **f.** Il faut la lui chanter — **g.** Tu nous le présentes — **h.** Nous tenterons de le lui vendre — **i.** J'espère le lui dire — **j.** Tu oublies de les lui apporter

46– a. Ne le lui répétez pas — **b.** Récite-le-moi — **c.** Ne les lui confions pas — **d.** Prouve-le-lui — **e.** Préparez-le-moi — **f.** Ne me le cachez pas — **g.** Vendez-le-nous ! — **h.** Achète-la-lui — **i.** Apportez-la-leur — **j.** Indiquez-le-moi

47– a. Le chef du personnel les leur a accordés — **b.** Vous le lui rappellerez — **c.** Papa lui en a acheté — **d.** Nous la leur présentons — **e.** Franck le leur a écrit — **f.** Françoise leur en a offert — **g.** Nous la lui réservons — **h.** On les lui a rachetés — **i.** Je lui en ai apporté — **j.** Tu leur en as promis

48– Bilan : le — en — me — en — vous — en — leur — y — me — la — vous — vous / l'

III. Les temps de l'indicatif

49– a. Beaucoup de Français prennent — **b.** Nous sommes en train de déjeuner — **c.** Simone est en train de répondre à — **d.** Les journalistes sont en train d'interroger — **e.** Cette boîte contient — **f.** Il est en train de nous attendre — **g.** Nous louons — **h.** J'arrive — **i.** Il est en train de téléphoner — **j.** Tu es en train de t'endormir

50– Réponses possibles : a. Le matin, j'aime me réveiller de bonne heure — **b.** Nous voyons souvent nos amis — **c.** On se couche toujours vers minuit — **d.** En été, les enfants partent au bord de la mer — **e.** De temps en temps, je visite une exposition — **f.** Le dimanche matin, on fait la grasse matinée — **g.** Quand il pleut, on reste à la maison — **h.** Pendant les vacances, nous faisons un peu de sport — **i.** Les enfants vont rarement au cinéma le soir — **j.** À midi, je déjeune au restaurant avec mes collègues

51– Réponse possible : Lorsque j'arrive au carrefour de la poste, j'aperçois une voiture à ma droite qui roule très vite. L'automobiliste ne voit pas le feu rouge et moi, je freine trop tard : c'est l'accident. Chacun sort de sa voiture pour observer les dégâts. Heureusement, ce n'est pas trop grave. Les gens nous demandent ce qui est arrivé puis nous écoutons le témoignage des passants. Mais tout cela bloque la circulation ! Nous faisons rapidement un constat d'accident, et l'automobiliste s'excuse de ne pas avoir vu le feu. Quant à moi, je m'en vais en redoublant de prudence.

52– a. elle redoute — elle décroche — le bip…bip achève de la réveiller — **b.** un moineau entre — il se cogne — **c.** son transistor se met à grésiller — il s'empare du poste — il le secoue — plus un son ne sort

53– a. Tu fermes — **b.** Tu réponds — **c.** Tu achètes — **d.** Tu t'occupes — **e.** Tu passes — **f.** Tu vas chercher — **g.** Tu paies — **h.** Tu déposes — **i.** Tu ranges tes affaires — **j.** Tu mets

54– on pourra (pouvoir) — il ouvrira (ouvrir) — on verra (voir) — il longera (longer) — elle accueillera (accueillir) — il offrira (offrir) — il permettra (permettre) — ils amuseront (amuser) — vous viendrez (venir) — ils bénéficieront (bénéficier)

55– a. Vous ne rentrerez pas trop tard, vous ne connaissez pas bien la région — **b.** Tu vérifieras les comptes, je ne suis pas sûr de mes calculs — **c.** Vous serez patient avec les enfants, ils sont fatigués — **d.** Vous relirez le texte, il est difficile — **e.** Vous vous lèverez tôt, une longue journée vous attend — **f.** Tu n'oublieras pas de téléphoner pour nous dire si elle vient — **g.** Tu viendras avec nous, il reste de la place dans la voiture — **h.** Vous répondrez aux questions en étant très précis — **i.** Nous réserverons les places à l'avance, ce sera plus sage — **j.** Tu ne diras rien aux voisins, ils sont très bavards

56– a. Je la repeindrai — **b.** Je le saurai — **c.** Je le verrai (j'irai le voir) — **d.** J'accueillerai — **e.** J'enverrai — **f.** Je les jetterai — **g.** Je rachèterai — **h.** Je préviendrai mon frère — **i.** Je le prendrai — **j.** Je le retiendrai

57– Réponses possibles : a. Il ne saura jamais que tu l'aimes — **b.** Il devra aller chez le médecin — **c.** Ils seront fâchés — **d.** Nous irons faire une promenade — **e.** Elle ne saura jamais ce que tu fais vraiment — **f.** Il faudra appeler le serrurier — **g.** Il changera de travail — **h.** Il terminera ses études en juin prochain — **i.** Vous devrez également aller à Bruges — **j.** Où je le mettrai tous les matins

58– Phrases possibles : a. Si la mer est calme, nous ferons une promenade en bateau dimanche / Si tu es libre demain soir, je t'emmène au théâtre. **b.** Si tu ne ranges pas ta chambre, tu vas tout de suite au lit ! / Si vous faites encore du bruit après minuit, les voisins appelleront la police. — **c.** Si vous ne pouvez pas dormir, vous devez boire moins de café / Si tu veux maigrir, il faudra faire plus attention à ce que tu manges. — **d.** Si Hélène n'est pas plus aimable, elle perdra tous ses amis / Si vous n'arrivez pas à l'heure, vous ne pourrez pas voir le spectacle. — **e.** Si tu n'aimes pas aller au cinéma seule, je suis prête à venir avec toi / Si tes bagages sont trop lourds, je t'aiderai à les porter.

59– a. Je vais t'écrire — **b.** — **c.** — **d.** Brigitte va avoir — **e.** Je vais d'abord ranger — **f.** Qu'est-ce-qu'on va manger — **g.** Ça va faire — **h.** Je vais lui poser — **i.** Je vais le voir — **j.** Il va y avoir un mois

60– a. il est — il arrivera — **b.** je t'appellerai — j'ai — **c.** (elle) n'est pas — je lui téléphonerai — **d.** tu vas — tu commenceras — **e.** je ne sais pas — s'ils voudront — **f.** feras-tu — elle partira — **g.** nous avons — nous lui demanderons — **h.** vous venez — elle prévoira — **i.** tu veux — nous lui enverrons — **j.** elles iront — il pleut

61–a. Quand partez-vous en vacances ? — **b.** Elle habite toujours rue Lecourbe ? — **c. Combien pesez-vous actuellement ?** — **d.** Je t'écris bientôt — **e.** Il dort depuis deux heures — **f.** Tu m'envoies une carte, n'oublie pas — **g.** Depuis trois mois, il essaie d'arrêter de fumer — **h.** Tu ne prends pas ton parapluie ? — **i.** Et ensuite, je mets le couvert ? — **j.** Est-ce qu'il participera au prochain rallye ?

62– b1 — **a**2 — **d**3 — **e**4 — **c**5

63– a. (F) — **b.** (PR) — **c.** (F) — **d.** (PA) — **e.** (F) — **f.** (PR) — **g.** (PR) — **h.** (PA) — **i.** (F) — **j.** (PA)

64– a. (R) — **b.** (PR) — **c.** (R) — **d.** (F) — **e.** (PR) — **f.** (F) — **g.** (R) — **h.** (N) — **i.** (PR) — **j.** (N)

65– a. Vous serez venus — **b.** On aura perdu — **c.** J'aurai vécu — **d.** Ils auront fini — **e.** Nous aurons su — **f.** Tu auras bu — **g.** Vous aurez mangé — **h.** Elle sera rentrée — **i.** Je me serai levé — **j.** Elles auront fini

66– a. Tu seras sorti — **b.** Elle sera tombée — **c.** Nous aurons offert — **d.** Ils auront chanté — **e.** J'aurai écrit — **f.** On aura attendu — **g.** Vous aurez dormi — **h.** Tu auras vécu — **i.** Vous serez revenu(s) — **j.** Elles auront étudié

67– a. Vous aurez préparé — **b.** Vous serez déjà parti(e) — **c.** Les enfants se seront endormis — **d.** Je les aurai prévenus — **e.** (Ils) ne seront pas revenus — **f.** Vous n'aurez pas pris la parole — **g.** Tu n'auras pas crié — **h.** Nous aurons mis — **i.** Elle nous aura rendu — **j.** (elle) aura sûrement découvert

68– a. Tu me téléphoneras / j'aurai prévu — **b.** Le comité aura déjà pris / vous proposerez — **c.** Je rencontrerai / elle aura tout avoué — **d.** Nous viendrons / tu auras déménagé — **e.** On ne saura pas / qui aura provoqué — **f.** Eric verra / aura déjà attribué — **g.** Nous goûterons / que tu auras préparé — **h.** La nuit sera tombée / nous fermerons — **i.** Il sera / et tu n'auras encore rien fait — **j.** Vous le connaîtrez / il aura déjà visité

69– Phrases possibles : a. Il préviendra quand il aura fait une réservation — **b.** Nous nous inscrirons quand nous aurons réussi le concours — **c.** Tu ajouteras la crème quand la sauce aura bouilli — **d.** Elle sera arrivée dès qu'elle aura traversé la rue — **e.** Vous reviendrez me voir quand vous aurez pris des médicaments — **f.** Ils feront des commentaires quand ils auront vu le film — **g.** J'appellerai mes amis quand j'aurai appris mes leçons — **h.** J'écrirai un roman lorsque j'aurai rencontré l'homme de ma vie — **i.** Tu iras te promener lorsque tu seras guérie — **j.** Il me prêtera sa bande dssinée aussitôt qu'il l'aura lue

70– a. mort — **b.** vécu — **c.** ri — **d.** conclu — **e.** su — **f.** dormi — **g.** cueilli — **h.** peint — **i.** vendu — **j.** mis

71– a. Il est passé — **b.** Ils ont acheté — **c.** Tu les a rangés — **d.** Je n'y ai pas cru — **e.** Tu as aimé — **f.** Tu ne l'as pas postée ? — **g.** Elle a lu — **h.** Il les a mises — **i.** J'ai ramené — **j.** Vous avez relu

72– a. rencontrés — **b.** découvert — **c.** offerte — **d.** rangée — **e.** ouvert — **f.** fait — **g.** reçu / promise — **h.** abandonné / tombée — **i.** lu / comprise — **j.** peinte

73– a. achetés — **b.** laissé / regrettés — **c.** exposées — **d.** fait — **e.** entendu — **f.** préparé — **g.** vu — **h.** voulu — **i.** trouvés — **j.** fait

74- a. Je tenais à vous remercier pour mon paquet — **b.** Je souhaitais avoir l'adresse de votre fille — **c.** Je passais pour connaître le prix de ce vase — **d.** Je tenais à vous remercier ; vous vous êtes si bien occupée de mon fils ! — **e.** Je désirais voir Mme Benoît — **f.** Je passais pour savoir si vous avez reçu ma crème — **g.** J'avais envie de prendre des nouvelles de mon ami, M. Dubois — **h.** Je voulais avoir les horaires des trains de nuit — **i.** Je désirais prendre rendez-vous avec M. le directeur — **j.** J'avais envie de vous accompagner.

75– a. Et si on envoyait les enfants en colonie de vacances — **b.** Et si je déménageais — **c.** Et si tu m'emmenais dîner (et si on dînait) — **d.** Et si on lui offrait — **e.** Et si on faisait ensemble — **f.** Et si je passais vous voir — **g.** Et si on faisait — **h.** Et si nous changions de voiture — **i.** Et si j'arrêtais de fumer — **j.** Et si tu changeais (on changeait) les meubles de place.

76– a. elle avait couru — **b.** vous étiez sorties — **c.** on avait voulu — **d.** j'avais découvert — **e.** nous étions tombés — **f.** j'avais lu — **g.** tu avais cru — **h.** ils avaient pu — **i.** vous étiez partie — **j.** on l'avait fait.

77– a. vous aviez réfléchi — **b.** on était arrivé — **c.** elles avaient écrit — **d.** nous avions conduit — **e.** tu avais connu — **f.** vous aviez dit — **g.** elle était tombée — **h.** j'étais devenu(e) — **i.** nous avions suivi — **j.** il avait plu.

78– a. j'avais compris — **b.** il avait mis — **c.** tu avais déjà rencontré — **d.** ils s'étaient mariés — **e.** vous vous étiez demandé — **f.** j'avais oublié — **g.** ils avaient divorcé — **h.** vous n'aviez pas dit — **i.** je t'avais demandé — **j.** ils nous avaient prévenu(e)s.

79– a. je l'avais déjà vu quand — **b.** nous l'avions prévenue quand — **c.** elle l'avait emprunté — **d.** j'avais découvert l'énigme — **e.** il l'avait vérifiée quand — **f.** ils s'étaient lavés — **g.** je les avais classés — **h.** nous y avions pensé — **i.** on lui avait envoyé — **j.** je l'avais appris.

80– a. il était fermé/elle est rentré — **b.** elles sortaient/elle est tombée — **c.** elle tombait/tu as allumé — **d.** il était/il a pris — **e.** elle était/il a perdu — **f.** il faisait/on a fait — **g.** elle était/elle a téléphoné — **h.** elle était/elle a essayé — **i.** elles traversaient/elle a démarré — **j.** je rentrais/il a sonné.

81– a. elle a rencontré/elle voyageait — **b.** il a ouvert/il pleuvait — **c.** il t'a téléphoné hier/tu n'étais pas — **d.** je t'ai déjà dit/tu devais — **e.** il a trouvé/il se promenait — **f.** il faisait/elle n'a pas démarré — **g.** je ne savais pas/je suis allé — **h.** ils se bousculaient/elle a perdu — **i.** je courais/je suis restée — **j.** on roulait/on n'a pas vu.

82– a. ils fermaient/il a éclaté — **b.** tu faisais/je suis rentré(e) — **c.** ils aboyaient/on a déménagé — **d.** ils sont entrés/il y avait — **e.** elle s'est éteinte/elle éclairait — **f.** on se voyait/on a pris — **g.** il était/elle a appelé — **h.** il adorait/il l'a oubliée — **i.** elle a téléphoné/elle était — **j.** elles attendaient/il leur a proposé.

83– a. Jacques Prévert avait écrit des scénarios pour Marcel Carné avant de composer ses recueils de poèmes — **b.** Auguste Rodin avait sculpté *Le Baiser* avant de faire la statue de Balzac — **c.** Charles Trenet avait chanté *La Mer* avant Jacques Higelin — **d.** Le personnage de Bécassine était apparu bien avant celui d'Astérix — **e.** Georges Clemenceau avait pris le parti du capitaine Dreyfus avant de devenir Premier ministre — **f.** Camille Claudel avait été l'élève de Rodin bien avant de devenir célèbre — **g.** Lelouch avait reçu la Palme d'Or bien avant Pialat — **h.** Renaud avait participé aux événements de mai 68 avant de devenir chanteur engagé — **i.** Simone de Beauvoir avait enseigné la philosophie avant de devenir écrivain — **j.** François Truffaut avait remporté un César trois ans avant de mourir.

**84– il n'arrivait — il s'est levé — il est allé — elle était — il a commencé — il lisait — il a entendu — il a été surpris — il dormait — il s'est dirigé — il l'a ouverte — il s'est trouvé — il rentrait — il s'est excusé — il a expliqué — il avait oublié — il avait vu — il s'était permis — il l'a invité.

85– a. ils se sont retrouvés/ils ne s'étaient pas vus — **b.** elle a perdu/elle avait suivi — **c.** on devait/ils étaient allés — **d.** il n'a rien pu faire/il avait — **e.** j'ai découvert/tu jouais (avais joué) — **f.** elle a attrapé/elle ne s'était pas assez couverte — **g.** tu ne m'as pas dit/on dînait — **h.** je ne savais même pas/elle avait connu — **i.** j'ai vu/elle n'avait pas assez travaillé — **j.** elle mettait/tu lui avais prêtée.

86- Bilan : 1- tu vivais — **2-** tu étais — **3-** ils habitaient — **4-** ils avaient hérité — **5-** ils se sont aperçus — **6-** ils ne leur convenaient pas — **7-** ils ont vendu — **8-** ils sont allés — **9-** elle était déjà née/elle est née — **10-** elle avait — **11-** on est arrivé — **12-** vous vous êtesfait — **13-** j'ai retrouvé —

8- il allait/était allé — **14-** tu voulais — **2-** tu étais — **15-** j'avais souhaité — **16-** j'ai découvert — **14-** j'ai voulu.

IV. Les indicateurs temporels

87– a. le — **b.** le — **c.** le — **d.** Ø — **e.** le — **f.** le — **g.** Ø/le — **h.** le — **i.** Ø — **j.** le.

88– a. Ø — **b.** le — **c.** la — **d.** la — **e.** les — **f.** Ø — **g.** les — **h.** les — **i.** Ø — **j.** l'.

89– a. au — **b.** en — **c.** au — **d.** au — **e.** en — **f.** en — **g.** en — **h.** au — **i.** au — **j.** en.

90– a. en — **b.** au — **c.** en — **d.** à — **e.** au — **f.** à la — **g.** o — **h.** à la — **i.** au — **j.** à.

91– a. de — **b.** du — **c.** du — **d.** d' — **e.** de l' — **f.** de — **g.** de la — **h.** de la/du — **i.** de — **j.** du.

92– a. 3 — **b.** 1/4/6/9 — **c.** 1/4/6 — **d.** 2/8/9/10 — **e.** 1/4/6 — **f.** 10 — **g.** 5/7 — **h.** 9 — **i.** 5 — **j.** 2/3/8/9/10.

93– a. dans — **b.** Ø ou dans — **c.** après — **d.** dans — **e.** après — **f.** après — **g.** Ø — **h.** dans / après — **i.** après — **j.** dans / après.

94– a. occasionnellement, de temps en temps — **b.** longuement — **c.** tard — **d.** tu ne fumes plus — **e.** souvent, tout le temps — **f.** de temps en temps, occasionnellement — **g.** toujours, tout le temps — **h.** elles ne sont pas encore arrivées — **i.** il y a longtemps que nous lui avons téléphoné — **j.** tu es toujours au régime ?

95– a. toujours, régulièrement — **b.** très souvent, régulièrement, fréquemment — **c.** rarement, presque jamais — **d.** toujours, très souvent, régulièrement — **e.** rarement, de temps en temps, occasionnellement — **f.** jamais — **g.** toujours, régulièrement — **h.** jamais — **i.** rarement — **j.** très souvent, régulièrement, fréquemment.

96– a. nous sommes sur le point — **b.** elle va ouvrir — **c.** nous sommes sur le point — **d.** vous vous apprêtez — **e.** je vais — **f.** elle ne va pas tarder — **g.** il est sur le point — **h.** ils ne vont pas tarder — **i.** tu vas — **j.** nous sommes sur le point.

97– a. je viens de — **b.** ne vas-tu — **c.** elle ne va pas — **d.** vous venez de — **e.** on va — **f.** ils vont — **g.** ils venaient de — **h.** n'allons-nous — **i.** je vais — **j.** tu viens de

98– a. de la/au — **b.** du/au — **c.** du/au — **d.** entre/et — **e.** de/à — **f.** de/à — **g.** entre/et — **h.** de/à (entre/et) — **i.** entre/et — **j.** d'/à.

99– a. elle sera — **b.** tu peux/pourras — **c.** nous n'aurons pas/n'avons pas — **d.** elle a démissionné — **e.** elle attire — **f.** je resterai / je reste — **g.** on a décoré — **h.** ils voyagent / ils voyageront — **i.** elles commencent — **j.** elles dureront.

100– a. 3 — **b.** 6 — **c.** 4 — **d.** 1 — **e.** 2 — **f.** 9 — **g.** 10 — **h.** 7 — **i.** 5 — **j.** 8.

101– Réponses possibles : a. deux fois par jour — **b.** de temps en temps — **c.** rarement — **d.** régulièrement, une fois par semaine — **e.** souvent, une à deux fois par mois — **f.** 2 heures par jour — **g.** tous les jeudis — **h.** si, très souvent — **i.** deux livres par mois — **j.** tous les jours, 7 jours sur 7.

102– a. il y a 3 semaines que/ça fait 3 semaines que — **b.** je ne l'ai pas vue depuis plusieurs semaines/ça fait plusieurs semaines que — **c.** il y a longtemps que/on ne va plus au cinéma depuis longtemps — **d.** ça fait plusieurs jours que/il y a plusieurs jours que — **e.** ça fait quelques lundis qu'elle est absente du cours depuis quelques lundis — **f.** il y a 10 ans qu'ils/ils sont mariés depuis 10 ans — **g.** ça fait 5 minutes que/je vous attends depuis 5 minutes — **h.** ça fait 6 mois qu'elle/il y a 6 mois qu'elle — **i.** il y a 2 heures qu'on est dans les embouteillages depuis 2 heures — **j.** le train est parti depuis 25 minutes/ça fait 25 minutes que le train

103– a. pendant les/durant les — **b.** pendant/pour — **c.** pour — **d.** pour — **e.** pour — **f.** pendant/durant — **g.** pour — **h.** pendant/pour — **i.** pendant/durant — **j.** au cours.

104– a. en — **b.** dans — **c.** sur — **d.** en — **e.** dans — **f.** dans/sur — **g.** en — **h.** dans — **i.** sur — **j.** sur.

105– a. 3 — **b.** 2 — **c.** 3 — **d.** 1 — **e.** 2 — **f.** 3 — **g.** 3 — **h.** 3 — **i.** 3 — **j.** 2.

106– a. en même temps qu'/quand/lorsqu'/tandis qu'/alors qu'/pendant qu' — **b.** quand/lorsque/tant que/tandis que/alors que/au moment où/pendant que — **c.** au moment où/pendant qu' — **d.** tandis que/pendant que — **e.** alors que/pendant que — **f.** tandis que/au moment où/pendant que — **g.** lorsque/au moment où — **h.** lorsqu'/au moment où — **i.** quand/lorsque — **j.** tandis que/pendant que.

107– a. pendant ta maladie — **b.** dès son arrivée — **c.** sitôt la fin du repas (sitôt le repas fini) — **d.** lors de leur rencontre — **e.** sitôt la lumière éteinte — **f.** dès l'ouverture de l'hôtel — **g.** pendant notre discussion — **h.** lors de notre retour — **i.** dès son arrivée — **j.** pendant le début des chaleurs.

108– Plusieurs réponses possibles : a. subitement, tout à coup/aussitôt, sur-le-champ — **b.** à ce moment là, tout à coup/aussitôt, tout de suite — **c.** à ce moment là/aussitôt — **d.** subitement/aussitôt — **e.** immédiatement/au même moment — **f.** tout à coup/immédiatement — **g.** aussitôt — **h.** aussitôt — **i.** sur-le-champ — **j.** tout à coup, subitement.

109– a. avant d' — **b.** avant qu' — **c.** avant — **d.** avant — **e.** avant de — **f.** avant — **g.** avant d' — **h.** avant — **i.** avant de — **j.** avant qu'.

110– a. après — **b.** après — **c.** après — **d.** une fois que (après que) — **e.** après — **f.** une fois qu' (après qu') — **g.** après — **h.** après — **i.** après — **j.** après que (une fois que).

111– a. une fois que — **b.** ensuite — **c.** puis — **d.** à la suite de — **e.** une fois que — **f.** après que — **g.** à la suite de — **h.** une fois que — **i.** puis — **j.** après.

112– Bilan : il y a/depuis — lorsque — au bout de — à ce moment là — dans (d'ici) — Ça fait — encore — pendant — d'ici — pour — de ... à — en — lorsque — pour — pendant — ensuite — jusqu'à — jusqu'à.

V. Le subjonctif

113– a. tu choisisses — **b.** vous compreniez — **c.** nous payions — **d.** je descende — **e.** (elle) coure — **f.** nous venions — **g.** je conduise — **h.** (ils) lisent — **i.** tu te taises — **j.** nous attendions.

114– a. je leur dise — **b.** il plaise — **c.** tu viennes — **d.** nous dormions — **e.** tu voies — **f.** nous payions — **g.** je puisse — **h.** vous sortiez — **i.** elles s'en aillent — **j.** ils se plaignent.

115– a. tu sois — **b.** elle soit — **c.** ils aient — **d.** vous ayez — **e.** tu aies — **f.** nous n'ayons — **g.** vous soyez — **h.** elle ait — **i.** nous soyons — **j.** j'aie.

116– a. tu ailles — **b.** tu partes — **c.** tu leur répondes — **d.** tu voies — **e.** tu deviennes — **f.** tu obtiennes — **g.** tu dormes — **h.** tu connaisses — **i.** tu boives — **j.** tu me promettes.

117- a. Tu aimerais que je prenne — **b.** Il souhaite que je sorte — **c.** Elle aimerait que nous parlions — **d.** Je veux que vous sachiez — **e.** Tes parents préfèrent que tu reviennes — **f.** Je déteste qu'ils discutent — **g.** Il ne veut pas que tu vives — **h.** Tu adores que nous sortions — **i.** Son mari préfère qu'elles déjeunent — **j.** Tu voudrais que nous réunissions.

118– Réponses possibles : a. qu'il ne soit trop tard — **b.** pourvu qu'ils arrivent sains et saufs — **c.** qu'elle n'ait pas beaucoup de qualifications — **d.** qu'elle aille acheter ses médicaments — **e.** qu'il refuse — **f.** que l'ONU n'intervienne rapidement — **g.** pour que je le recouse — **h.** que tu veuilles m'accompagner — **i.** que nous passions d'agréables moments — **j.** que je finisse mon exercice

119– a. que tu prennes — **b.** que je sois — **c.** que la grève se poursuive — **d.** que mes parents ne sachent rien — **e.** que deux et deux fassent — **f.** que nos voisins entendent — **g.** qu'elle n'aille pas — **h.** que vous regardiez — **i.** que cette femme me connaisse — **j.** que tu préviennes

120– a. tu voudrais que je connaisse — **b.** qu'ils ouvrent — **c.** qu'elle conduise — **d.** que vous rencontriez — **e.** que nous regardions — **f.** que je finisse — **g.** qu'elles partent — **h.** que tu dormes — **i.** qu'il fasse — **j.** que je prenne.

121– a. Il faut que nous partions — **b.** qu'ils prennent — **c.** que je m'arrête — **d.** que vous vendiez — **e.** tu descendes — **f.** elle fasse — **g.** nous cueillions — **h.** je recouse — **i.** vous insistiez — **j.** ils résolvent

122– Réponses possibles : a. Il est indispensable que tu connaisses / vous connaissiez — **b.** Il faudrait que tu aies / vous ayez — **c.** Il est souhaitable que tu relises / vous relisiez — **d.** Il faudrait que tu envoies / vous envoyiez — **i.** Il est important que tu traduises / vous traduisiez — **f.** Il est indispensable que tu répondes / vous répondiez — **g.** Il est important que tu accueilles / vous accueilliez — **h.** Il est souhaitable que tu sois / vous soyez — **i.** Il faudrait que tu saches / vous sachiez — **j.** Il est important que tu travailles / vous travailliez

123– a. Qu'elle la vende ! — **b.** Qu'elle chante ! — **c.** Qu'il réfléchisse ! — **d.** Qu'ils me téléphonent ! — **e.** Qu'ils le prennent ! — **f.** Qu'il écrive ! — **g.** Qu'elle parte ! — **h.** Qu'il la regarde ! — **i.** Qu'il le fasse ! — **j.** Qu'il s'excuse !

124– a. que le vin (ne) vieillisse mal — **b.** que l'hiver (ne) soit — **c.** que vous ne teniez pas vos engagements — **d.** que Gilles ne sache pas répondre — **e.** que le chien (ne) le morde — **f.** qu'il subisse — **g.** que je perde — **h.** que nous fassions — **i.** que ce tableau ne vaille — **j.** que tu ne dises pas

125– Phrases possibles : a. Il se peut qu'il soit — **b.** Il est possible qu'il se sente — **c.** Il est possible qu'ils ne prennent pas — **d.** Il n'est pas impossible que ce chat craigne — **e.** Il se peut que sa sœur devienne — **f.** Il n'est pas impossible qu'on lui tende — **g.** Il se peut que nous commettions — **h.** Il n'est pas impossible qu'il vienne — **i.** Il est possible qu'il sorte — **j.** Il se peut que ses chaussures soient

126– Phrases possibles : a. Je ne suis pas sûr que les journalistes aient raison — **b.** Je ne crois pas que Michel perde — **c.** Je doute que Thierry coure — **d.** Je ne crois pas que nous tenions — **e.** Je doute que tu comprennes — **f.** Je ne suis pas sûre qu'il soit prévenu — **g.** Je ne trouve pas qu'il pleuve — **h.** Je ne crois pas que ces informations lui soient — **i.** Je doute qu'elles cuisent — **j.** Je ne trouve pas qu'il soit

127– a. souhait — **b.** appréciation — **c.** crainte — **d.** souhait — **e.** éventualité — **f.** obligation — **g.** obligation — **h.** crainte — **i.** appréciation — **j.** éventualité

128– a. 4 (7-8) — **b.** 1 (6-7-8) — **c.** 5 — **d.** 2 — **e.** 3 (2) — **f.** 8 — **g.** 6 (7-9) — **h.** 7 (4.8) — **i.** 10 — **j.** 9

129– a. es — **b.** revienne — **c.** nous sommes déjà rencontrés — **d.** pouvez — **e.** se rende compte — **f.** il ne fasse pas beau / ne fait pas beau — **g.** avons déjà envoyé — **h.** reçoive — **i.** prenne — **j.** est

130– Phrases possibles : a. qu'il a pris le train de 17 heures (indicatif) — **b.** que tu fasses plus d'efforts (subjonctif) — **c.** que le budget culturel augmentera cette année (indicatif) — **d.** que Pierre a l'air triste ces temps-ci (indicatif) — **e.** que leur situation ne s'améliore pas (subjonctif) — **f.** que les arbres avaient beaucoup poussé (indicatif) — **g.** qu'on les emmène au cinéma plus souvent (subjonctif) — **h.** que les portes du théâtre soient fermées à 21 heures (subjonctif) — **i.** que la nuit ne tombe (subjonctif) — **j.** que la porte est restée ouverte (indicatif)

131– Bilan : tu viennes — j'aille — tu ne veux pas — (il) sera — (elle) fasse — tu comprennes — vous vous rencontriez — (ils) ont — tu me dises — Ça te plaise / plaira

VI. Les constructions complétives

132– a. tu crois réussir — **b.** vous prétendez être — **c.** j'espère apprendre — **d.** elles pensent terminer — **e.** Pierre espère trouver — **f.** Il est convaincu d'avoir — **g.** Je suis sûre d'avoir perdu — **h.** Nous croyons arriver — **i.** Tu ne penses pas exagérer — **j.** Je suis persuadée d'avoir

133– a. Ils disent qu'ils sont invités — **b.** Elle est certaine qu'elle est (sera) convoquée — **c.** Je pense que je vous accompagnerai — **d.** Jean espère qu'il rejoindra — **e.** Il croit qu'il a toujours — **f.** Tu es certain que tu ouvriras — **g.** Ils espèrent qu'ils iront — **h.** Il pense qu'il obtiendra — **i.** Je crois que je donne — **j.** M. Dumont dit qu'il joue

134– a. Elle admet ne pas dormir — **b.** Ils prétendent ne pas parler — **c.** Ils ont l'impression de ne pas être aimés — **d.** Il avoue ne pas travailler — **e.** J'assure ne pas le connaître — **f.** Elle est sûre de ne pas partir — **g.** Je suis convaincu de ne pas refumer — **h.** Je reconnais ne pas avoir — **i.** Nous sommes certaines de ne pas vouloir — **j.** Ils soutiennent ne pas avoir

135– Phrases possibles : a. Nous croyons que le prix — **b.** Tu sais que l'alcool — **c.** Ma mère trouve que le temps — **d.** J'ai l'impression qu'on s'est

trompé — **e.** Nous espérons tous qu'il — **f.** Tu oublies que Jean — **g.** Je me rends compte que je — **h.** Il m'annonce que je — **i.** Vous constatez qu'il — **j.** On estime que

136– Phrases possibles : a. Il me semble que la liberté de la presse est essentielle — **b.** Je pense que la réforme du système éducatif était inévitable — **c.** Je crois que le nouveau calendrier scolaire est plus adapté au rythme des enfants — **d.** Je trouve que la majorité à 18 ans est une bonne chose — **e.** J'ai le sentiment que la vignette pour les motos serait une mesure abusive — **f.** Je trouve que la limitation à 50 km/h en ville est raisonnable — **g.** Je pense que cette interdiction est une bonne mesure — **h.** Il me semble que les grandes surfaces devraient être ouvertes le dimanche — **i.** J'ai l'impression que le port de la ceinture est difficile à accepter — **j.** Je pense qu'on pourrait avancer l'âge de l'examen du permis de conduire à 16 ans.

137– a. vous jouiez — **b.** (ils) ne connaissaient pas — **c.** elle rentrerait — **d.** nous nous sommes rencontrés — **e.** il faisait — **f.** (il) avait perdu — **g.** (il) finirait — **h.** tu rencontreras — **i.** vous viendrez — **j.** il prendra

138– a. on fasse — **b.** elle obtienne — **c.** ils viennent — **d.** il ne réponde pas — **e.** (ils) soient — **f.** nous analysions — **g.** vous poursuiviez — **h.** ils aient — **i.** il pleuve — **j.** tu veuilles

139– a. que vous appreniez — **b.** que nous emmenions — **c.** qu'elles fassent — **d.** que je passe — **e.** que vous preniez — **f.** qu'on aille — **g.** que nous répondions — **h.** qu'ils terminent — **i.** que tu réfléchisses — **j.** que tu proposes

140– a. Nous sommes heureux que les vacances s'annoncent bien — **b.** Tu es enchantée que je vienne — **c.** On regrette que Jean reste — **d.** Nous sommes déçus qu'il pleuve — **e.** Nous sommes désolés que vous ne soyez pas — **f.** On est étonné que tu ne fasses — **g.** Vous êtes fâchée que Jacques n'aille plus — **h.** J'ai peur que tu aies — **i.** Elle regrette qu'ils n'aient plus — **j.** Ils sont ravis que leur cousin vienne

141– a. Elle n'admet pas que tu aies — **b.** Je ne crois pas qu'il fasse — **c.** Ils n'admettent pas qu'il soient — **d.** Je ne pense pas qu'il apprenne — **e.** Je ne prétends pas qu'il écrive — **f.** Il ne comprend pas qu'ils veuillent — **g.** Je ne trouve pas qu'elle maigrisse — **h.** Ils ne pensent pas que tu sois — **i.** Ils n'ont pas l'impression que les Français fassent — **j.** Je n'estime pas qu'il sorte

142– a. qu'il distribue — **b.** qu'elle ne subisse pas — **c.** qu'ils franchissent — **d.** que vous déclariez — **e.** que nous nous brossions — **f.** qu'elle réussisse — **g.** que nous éteignions — **h.** qu'on propose — **i.** que vous sonniez — **j.** que nous donnions

143– a. que les femmes s'expriment — **b.** que S. Gainsbourg soit mort — **c.** que la France n'ait pas remporté la victoire — **d.** qu'ils deviennent — **e.** qu'elle se vende — **f.** qu'il ne soit pas — **g.** qu'il roule — **h.** qu'elle n'émette pas — **i.** qu'elle produise — **j.** qu'elle (n')influence trop

144– a. qu'on aille dîner — **b.** qu'il emprunte — **c.** qu'ils montent — **d.** qu'elle ait — **e.** que tu sortes — **f.** que nous lui répondions — **g.** qu'il ferme — **h.** que tu partes en train (prennes le train) — **i.** que vous vous rétablissiez — **j.** que vous preniez

145– a. qu'(ils) prennent — **b.** qu'il y aura — **c.** qu'(elles) ouvrent — **d.** qu'il fait — **e.** que vous apportiez — **f.** que vous n'oubliiez pas — **g.** qu'(elle) (ne) vieillisse — **h.** qu'(ils) avaient disparu — **i.** que nous organisions — **j.** qu'(elle) s'améliorait

146– a. 5/7/10 — **b.** 5 — **c.** 1/6/9 — **d.** 2/3/5/7/8/10 — **e.** 2/7/8/10 — **f.** 6 — **g.** 4/5/7/9/10 — **h.** 4/6 — **i.** 5/10 — **j.** 2/3/8/10

147– a. 2 — **b.** 3 — **c.** 9 — **d.** 1 — **e.** 4 — **f.** 7 — **g.** 6 — **h.** 10 — **i.** 8 — **j.** 5

148– a. que vous vous reposiez — **b.** que vous travailliez — **c.** que vous vous énervez — **d.** que vous nagiez — **e.** que vous jouiez — **f.** que vous ne profitez pas — **g.** que vous (ne) tombiez — **h.** que vous (ne) vous soigniez — **i.** que vous vous amusiez — **j.** que vous vous changiez

149– Bilan : 1. que tu vives — **2.** qu'il était — **3.** que tu me dises — **4.** qu'il a — **5.** que vous m'invitiez — **6.** que tu me le présentes — **7.** que vous n'avez — **8.** que tu parviennes — **9.** que tu me téléphoneras — **10.** passer — **11.** que j'habite — **12.** que tu m'appelles

VII. Le conditionnel

150– a. tu croirais — **b.** elles finiraient — **c.** je serais — **d.** on irait — **e.** vous sauriez — **f.** nous aurions — **g.** il jouerait — **h.** vous liriez — **i.** tu partirais — **j.** ils pourraient

151– a. je croirais — **b.** nous comprendrions — **c.** tu verrais — **d.** elles feraient — **e.** vous auriez — **f.** on serait — **g.** ils iraient — **h.** je saurais — **i.** elle dirait — **j.** j'enverrais

152– a. je devais — **b.** elle irait — **c.** nous terminions — **d.** vous verriez — **e.** elles couraient — **f.** tu cueillerais — **g.** on dormait — **f.** vous finiriez — **i.** ils jouaient — **j.** nous ririons

153– a. Seriez-vous — **b.** Pourrais-tu — **c.** Auriez-vous — **d.** Sauraient-elles — **e.** Ça te ferait — **f.** on devrait — **g.** nous verrions — **h.** il faudrait — **i.** je comprendrais — **j.** Aimeraient-ils

154– a. je voudrais — **b.** on préférerait — **c.** vous prendriez — **d.** irait-il — **e.** on ferait — **f.** on pourrait — **g.** nous dormirions — **h.** (ils) devraient — **i.** il faudrait — **j.** (il) serait

155– serait — s'étendrait — on entendrait — vivrait — pourrait — connaî-traient — passeraient — se nourriraient — trouveraient — voudriez

156– a. 5 — **b.** 10 — **c.** 3 — **d.** 4 — **e.** 6 — **f.** 1 — **g.** 2 — **h.** 9 — **i.** 7 — **j.** 8

157– Questions possibles : a. Pourriez-vous m'indiquer la rue de Longchamp ? — **b.** Auriez-vous l'heure ? — **c.** Je voudrais des croissants au beurre, en avez-vous ? — **d.** J'aimerais bien venir avec vous, c'est possible ? — **e.** Je souhaiterais parler à M. Dufour, s'il vous plaît — **f.** Aimerais-tu manger des sardines ? — **g.** Ça te dirait d'aller au Maroc ? — **h.** Que ferais-tu à ma place ? — **i.** Pourriez-vous me rendre ma monnaie ? — **j.** Aimerais-tu voir une pièce ?

158– Phrases possibles : a. je voyagerais en Chine — **b.** tu saurais mieux ce qui se passe dans le monde — **c.** vous arriveriez plus vite à destination — **d.** on ferait des travaux à la maison — **e.** ils choisiraient un autre rythme de vie — **f.** elle serait plus ouverte sur ce qui l'entoure **g.** on pourrait visiter Auvers-sur-Oise — **h.** je partirais bien vivre au Mexique — **i.** vous diriez qu'elle est assez mignonne — **j.** nous répondrions à vos demandes

159– Réponses possibles : a. tu serais tout de suite folle de lui — **b.** vous pourriez faire ce voyage avec nous — **c.** on sortirait beaucoup plus souvent — **d.** elles s'ennuieraient moins — **e.** tu verrais le monde qu'il y a partout — **f.** je m'offrirais un bateau à voile — **g.** il décorerait son salon — **h.** ils seraient peut-être moins stressés — **i.** tu profiterais davantage de ton jardin — **j.** vous viendriez y passer le week-end

160– Réponses possibles : a. Il faudrait partir — **b.** Tu devrais travailler — **c.** Vous pourriez vous dépêcher — **d.** Tu devrais remercier — **e.** Vous pourriez demander à parler — **f.** Il faudrait louer — **g.** Tu pourrais téléphoner — **h.** Vous devriez conduire — **i.** Il faudrait répondre — **j.** Tu pourrais prendre

161– D'après les informations que nous avons... **a.** le calme reviendrait... — **b.** la caissière serait — **c.** les vacanciers seraient — **d.** le dollar baisserait — **e.** le trafic serait perturbé — **f.** le Premier ministre atterrirait — **g.** le beau temps reviendrait — **h.** la mentalité française changerait — **i.** le commerce extérieur se développerait — **j.** le calendrier scolaire serait réétudié

162– a. qu'on verrait — **b.** qu'(il) brillera — **c.** qu'(il) augmenterait — **d.** qu'elle retrouvera — **e.** qu'(ils) apporteraient — **f.** qu'(elle) fermera — **g.** qu'(il) apprendrait — **h.** qu'on partirait — **i.** que vous serez — **j.** qu'(ils) étudieraient

163– a. qu'il les recevrait chez lui — **b.** qu'elle les préparerait — **c.** Il a dit qu'il arriverait — **d.** Ils ont promis qu'ils seraient sages — **e.** Nous avons décidé que nous ferions — **f.** J'ai dit que j'en achèterais — **g.** On a décidé qu'on l'invite-rait — **h.** On a dit qu'on la mettrait — **i.** J'ai dit que je le lui offrirais — **j.** Nous avons décidé que nous commanderions

164– Bilan : Je ne jouerais pas — feriez-vous — je partirais — je m'achète-rais — changeriez-vous — ferait-elle — elle s'offrirait — elle reprendrait — elle deviendrait — elle me mettrait — j'y gagnerais

VIII. Le discours rapporté

165– a. Il va pleuvoir — **b.** Je n'ai jamais vu cet homme — **c.** Je vais bien — **d.** C'est la saison des amours — **e.** Tu as raison — **f.** On ne peut pas faire notre travail — **g.** Mon vol vient d'être annulé — **h.** Vous ne nous écoutez pas — **i.** Je suis très heureuse avec lui — **j.** Je voudrais venir vous voir

166– a. Il répond qu'il ne sait pas où elle se trouve — **b.** Il dit qu'il est allé au — **c.** Il dit qu'il a pris le métro — **d.** Il dit qu'il n'a pas visité — **e.** Il dit qu'il a vu — **f.** Il dit qu'il est monté sur — **g.** Il dit qu'il n'a pas vu de spectacle — **h.** Il dit qu'il a aimé Montmartre — **i.** Il dit qu'il n'a pas skié — **j.** Il dit qu'il a goûté la

167– a. Elle dit qu'il fait beau — **b.** Elle dit que vous n'aimez pas — **c.** Elle dit qu'elle a besoin de vacances — **d.** Elle dit qu'il y a eu un accident — **e.** Elle demande d'écouter la radio — **f.** Elle dit qu'on a retrouvé — **g.** Elle demande de ne pas ouvrir les fenêtres — **h.** Elle dit que tu as toujours de beaux yeux — **i.** Elle demande de traduire ce qu'il dit — **j.** Elle demande de ne pas rentrer

168– a. de ne pas faire de bruit — **b.** d'acheter mon billet à l'avance — **c.** de respirer plus profondément — **d.** de prendre sa voiture pour aller — **e.** de le suivre — **f.** de boire un verre — **g.** de l'aider — **h.** de ne pas le déranger — **i.** de ne pas prendre le métro seule — **j.** à l'attendre ici

169– a. si vous allez souvent au concert — **b.** ce que Sophie a décidé — **c.** si tu prends le train ou l'avion — **d.** si vous parlez — **e.** ce que tu as fait — **f.** si vous m'accompagnez — **g.** si tu as réservé ta place — **h.** si vous lisez votre horoscope — **i.** ce que tu as oublié — **j.** ce qu'elles ont décidé

170– a. Qui êtes-vous ? — **b.** Quelle est votre profession ? — **c.** Quand lisez-vous ? — **d.** Qu'est-ce que tu fais ce soir ? — **e.** Voulez-vous du café ? — **f.** À qui téléphones-tu ? — **g.** Qu'écris-tu ? (Qu'est-ce que tu écris ?) — **h.** Est-ce qu'on a une réservation ? — **i.** Où travaillez-vous ? — **j.** Combien coûte le billet d'avion ?

171– a. Il demande ce qu'elle fait — **b.** comment conduisent les chauffeurs — **c.** où vous étiez ce matin — **d.** qui tu connais là-bas — **e.** ce que tu dis — **f.** comment vous traduisez "bébé" — **g.** si vous pouvez le remercier — **h.** si tu aimes les films de Milos Forman — **i.** quand vous arrivez — **j.** si tu as lu le der-nier roman

172– a. Quel temps prévoit-on pour le week-end ? — **b.** Combien as-tu d'enfants ? — **c.** Pourquoi es-tu en retard ? — **d.** Quelle est ta chanteuse préfé-rée ? — **e.** Qu'est-il arrivé de si grave ? — **f.** As-tu pris les places de théâtre ? — **g.** Qu'as-tu préparé pour le dîner ? — **h.** Es-tu toujours fâché ? — **i.** Qui a gagné les 24 heures du Mans ? — **j.** As-tu téléphoné aux Michaud ?

173– a. quel — **b.** si / quand — **c.** ce que — **d.** combien — **e.** pourquoi — **f.** qui — **g.** quand / s' — **h.** ce qui — **i.** lequel — **j.** si

174– a. me demandent ce que je fais ce soir — **b.** me demande si je connais bien Xavier — **c.** me demande mon billet — **d.** me demande ce que j'ai dans mon sac — **e.** me demande comment je vais — **f.** me demande ce que je pense de ce conflit — **g.** me demande pourquoi je fais cette grimace — **h.** me demande s'il peut téléphoner — **i.** me demande où je préfère m'asseoir — **j.** me demande si je veux de la crème

175– a. de — **b.** si — **c.** que — **d.** de — **e.** que — **f.** ce qu' — **g.** que — **h.** qu' — **i.** s' — **j.** si

176– a. que je déteste les impressionnistes — **b.** si vous aimez la mer — **c.** que j'ai gagné au Loto — **d.** de sortir — **e.** ce que tu vas faire — **f.** je te demande quand il arrive — **g.** je vous demande si vous aimez — **h.** je vous demande ce que vous regardez — **i.** je dis que j'en ai assez — **j.** je vous demande si vous n'avez pas un ticket

177– a. Ils demandent de ne pas fumer — **b.** Ils demandent si vous êtes malade — **c.** Ils demandent combien ça coûte — **d.** Ils disent qu'ils ont lu tous les livres — **e.** Ils disent que c'est très intéressant — **f.** Ils demandent de ne pas descendre — **g.** Ils demandent si vous aimez — **h.** Ils demandent s'il y a long-temps que vous attendez — **i.** Ils demandent si vous vous êtes blessé — **j.** Ils disent / demandent de ne pas y aller

178– a. Ils ont demandé de ne pas fumer — **b.** Ils ont demandé si vous étiez malade — **c.** Ils ont demandé combien ça coûtait — **d.** Ils ont dit qu'ils avaient lu — **e.** Ils ont dit que c'était — **f.** Ils ont demandé de ne pas descendre — **g.** Ils ont demandé si vous aimiez — **h.** Ils ont demandé s'il y avait longtemps que vous attendiez — **i.** Ils ont demandé si vous vous étiez blessé — **j.** Ils ont demandé / dit de ne pas y aller

179– Il lui a dit qu'il passait son temps au téléphone ; il lui a demandé d'être ponctuel à ses rendez-vous et de ne pas trop parler avec la secrétaire ; il lui a demandé combien de cafés il prenait par jour ; il lui a demandé d'être plus patient ; il lui a dit qu'il pensait qu'il ne traitait pas ; il lui a demandé à quelle heure il déjeunait, si le bilan financier était prêt et s'il pouvait travailler

180– On m'a demandé **a.** à quelle heure je sortirais — **b.** chez qui j'habiterais — **c.** ce que je ferais pendant — **d.** quel jour j'arriverais — **e.** combien d'heures de vol j'aurais — **f.** pourquoi je serais en retard — **g.** si je viendrais seul — **h.** ce que je voudrais faire — **i.** si je resterais plusieurs jours — **j.** si j'aurais des chèques

181– a. Elle a déclaré qu'il avait gagné — **b.** Il nous a prévenu qu'il était bien arrivé — **c.** Elle a dit qu'il faisait beau — **d.** Je savais qu'elle travaillait — **e.** Ils disaient qu'ils s'enverraient — **f.** Elle a annoncé qu'il avait neigé — **g.** Elle a dit qu'il avait changé — **h.** Je pensais que vous aviez tort — **i.** Il a confirmé qu'il étudierait — **j.** Elle a su ce que vous aviez fait

182– a. Tu m'as annoncé que tu partais — **b.** Il me dit qu'il écrit — **c.** Elle reconnaît qu'elle a tort — **d.** Elle pensait que tu arriverais — **e.** J'apprends qu'ils pensent — **f.** Elle vous a prévenu qu'elle ne serait pas là — **g.** Tu m'as dit que tu ne regrettais rien — **h.** Elle me proposera — **i.** On se demandait comment ils réaliseraient — **j.** Je ne pense pas qu'elle viendra

183– Bilan : Je dis que cette voiture fait trop de bruit — J'ai dit qu'elle n'avançait pas vite — Je t'ai demandé si tu ne voulais pas l'acheter — Je t'ai dit qu'elle nous avait doublé sans clignotant — Je te demande de ne pas prendre à gauche — Je te demande où tu veux aller

IX. La concordance des temps

184– a. on a vu / qui était — **b.** je suis passé / il n'y avait — **c.** il faisait / nous sommes venus — **d.** elle a écrit / elle avait — **e.** il s'est trompé / il cherchait — **f.** j'ai acheté / il est paru — **g.** tu as indiqué / qu'il fallait — **h.** on a bénéficié / on connaissait — **i.** il a perdu / il travaillait — **j.** elle n'a pas compris / tu lui disais (as dit)

185– a. Elle était pressée / elle allait arriver — **b.** Il était / il fallait — **c.** Tu pensais / qu'il ferait — **d.** J'étais / Mathilde était déjà venue — **e.** Croyiez-vous / qu'il réussirait — **f.** Tu voulais / il fallait — **g.** Je pensais / il était — **h.** Nous étions convaincus / (il) admettrait — **i.** Il craignait / (ils) auraient — **j.** Tu devais / c'était

186– a. personne ne croit / il gagnera — **b.** je pense / il s'est trompé — **c.** tout le monde parle / l'équipe qui vient — **d.** Louise a / elle ne peut pas — **e.** Solange m'appelle / je ferme — **f.** les enfants se réveillent / le téléphone sonne — **g.** tu sais / ton frère aura — **h.** ils font / ils obtiennent — **i.** Charlotte affirme / tu es parti — **j.** nous raccompagnons / (il) est

187– a. qui acceptera — **b.** vous auriez — **c.** je n'ai pas dit — **d.** je pensais (j'ai pensé) — **e.** il a déjà pris (avait déjà pris) — **f.** il s'agissait — **g.** (elle) entraînerait — **h.** je l'avais invité (je l'ai invité) — **i.** ils vont (iront) — **j.** il accepterait

188– 1 b/c/d/e/g — 2 a/d/f/h/i/j

189– a. il se nourrisse — **b.** (il) lui appartient — **c.** j'agis — **d.** il oublie — **e.** vous avez — **f.** tu perds — **g.** elle n'obtienne pas — **h.** (il) le défende — **i.** (il) fasse — **j.** tu puisses

190– Réponses possibles : a. Non, je ne pense pas que les plantes puissent nous guérir — **b.** Non, je ne suis pas certain que les hommes vieillissent — **c.** Oui, je suis sûre que nous vivons — **d.** Non je ne trouve pas qu'il reçoive — **e.** Oui, je crois que la publicité agit — **f.** Non, je ne suis pas certain qu'ils aient visité — **g.** Je pense qu'il répond — **h.** Je ne suis pas certaine qu'il doive — **i.** Je pense qu'on écrit moins — **j.** Je ne trouve pas qu'il concerne

191– Réponses possibles : a. tu connaisses la bonne nouvelle (subjonctif) — **b.** vous ne vous inquiétiez pas (subjonctif) — **c.** il était encore à Amsterdam (indicatif) — **d.** vous passez quelques jours au soleil (indicatif) — **e.** nous ayons atteint la voiture (subjonctif) — **f.** leur fils soit un peu malade (subjonctif) — **g.** ses parents la grondent (indicatif) — **h.** vous ne l'exigiez (subjonctif) — **i.** la nuit l'effraie (indicatif) — **j.** vous l'aimez tant (indicatif)

192– a. 1 — **b.** 2/4 — **c.** 1/2 — **d.** 3 — **e.** 4 — **f.** 2 — **g.** 3 — **h.** 2 — **i.** 2/4 — **j.** 2/3

193– a. tu attendais — **b.** elle ira — **c.** (il) disait — **d.** (ils) annonceraient — **e.** (ils) répètent — **f.** il a croisé — **g.** elle avait vu — **h.** (il) dit — **i.** (il) a déclaré — **j.** (il) avait gagné

194– a. Jacques perdait son temps — **b.** qu'il arrête de fumer — **c.** Tu disais que tu ne pouvais pas le supporter — **d.** Il se demandait où il avait mis ses lunettes — **e.** Il a dit que Claude était enfin revenu — **f.** Il nous a confié qu'il aimait la pêche — **g.** Il pensait que ce théâtre fermerait bientôt ses portes — **h.** J'avais remarqué que les lampes étaient restées allumées — **i.** Nous avons déclaré que nous ne changerions pas d'opinion — **j.** Elle m'avait demandé où j'irais

195– Bilan : Je m'en souviendrai — vous portiez — je ne pense — nous n'avons échangé — (ils) se sont croisés — j'ai voulu — vous étiez déjà partie — je vous le dise — je vous aime — je suis fou — vous me connaissiez — vous sauriez — me répondrez-vous ?

X. Le passif

196– a. A — **b.** A — **c.** P — **d.** P — **e.** A — **f.** P — **g.** A — **h.** P — **i.** P — **j.** P

197– a. Le R.E.R. dessert Marne-la-Vallée — **b.** Sophia Loren remet le César au meilleur réalisateur — **c.** Poivre d'Arvor présente le journal télévisé — **d.** le public impressionne Vanessa Paradis — **e.** Le ministère de la Culture subventionne les spectacles de l'Opéra — **f.** Tous les Français paient l'impôt sécheresse — **g.** Les Américains adorent Gérard Depardieu — **h.** Yves Montand interprétait la chanson *À bicyclette* — **i.** Les touristes envahissent les bateaux-mouches — **j.** Les élèves choisissent le délégué de classe.

198– a. Ces plans sont dessinés par l'architecte — **b.** Les ouvriers sont dirigés par le contremaître — **c.** Le patient est ausculté par le médecin — **d.** L'aveugle est guidé par le chien — **e.** L'incendie est éteint par les pompiers — **f.** L'évier est débouché par le plombier — **g.** Le téléphone est installé par l'agent Télécom — **h.** Le circuit électrique est réparé par l'électricien — **i.** Les épreuves sont relues par l'éditeur — **j.** Le courrier est distribué par le facteur

199– a. Mon loyer est payé par mes parents chaque mois — **b.** Chaque année, le tarif des transports est augmenté par la RATP — **c.** Les enseignants du secteur public sont employés par l'État — **d.** La grève est décidée par les syndicats — **e.** La publicité sur le tabac est interdite par le gouvernement — **f.** Les jeunes sont très inquiétés par le chômage — **g.** Les lois sont proposées et votées par le Sénat et l'Assemblée nationale — **h.** Le personnel est convoqué par le directeur — **i.** Les ministres sont désignés par le Premier ministre — **j.** Les lycéens sont conseillés par la conseillère d'orientation

200– a. L'autoroute A7 est fermée à Mâcon — **b.** Le dollar est dévalué — **c.** Le trafic aérien est réduit — **d.** Une partie du personnel Air France est licenciée — **e.** Des pays membres de la CEE sont réunis — **f.** Le SMIC est augmenté en janvier — **g.** La politique sociale est élargie en France — **h.** Les sans-abris sont aidés — **i.** Le plan d'aménagement de la région Rhône-Alpes est réorganisé — **j.** Les usines Renault sont détruites à Boulogne

201– a. On demande des vendeuses — **b.** On transfère les bureaux au 15 rue Lafayette — **c.** Chaque semaine, on réexpédie le courrier automatiquement — **d.** On recherche un voleur — **e.** On licencie la comptable — **f.** On augmente le quart du personnel — **g.** On prime Jean-Paul Belmondo — **h.** On dissout l'Assemblée — **i.** On réunit la famille pour Noël — **j.** On informe les journaux

202– a. L'appartement est fouillé — **b.** Le corps est identifié — **c.** Les indices sont relevés — **d.** Des photos sont prises — **e.** Les voisins sont interrogés — **f.** Le corps est enlevé — **g.** L'appartement est mis sous scellés — **h.** L'enquête est menée — **i.** Le coupable est repéré — **j.** Le verdict est prononcé.

203– a. La radio locale communiquait les informations — **b.** Les employés... vendaient les forfaits — **c.** Le chasse-neige déneigeait les routes — **d.** Les moniteurs donnaient les leçons de ski — **e.** Les skieurs suivaient les conseils de sécurité — **f.** Les enfants prenaient d'assaut les remonte-pentes — **g.** Les vacanciers envahissaient les terrasses de café — **h.** L'école de ski inscrivait les sportifs aux compétitions — **i.** Les skieurs attendaient la neige — **j.** Les photographes de la station prenaient des photos-souvenirs.

204– a. Oui, on admettra Catherine en doctorat — **b.** Oui, vous serez accompagnés à la gare — **c.** On vous accordera le tarif réduit — **d.** Votre projet sera accepté — **e.** On garantira cette voiture un an — **f.** Le personnel sera augmenté l'année prochaine — **g.** On étudiera votre dossier avec soin — **h.** Les impôts locaux seront modifiés — **i.** Le jury sera désigné — **j.** On corrigera les épreuves deux fois.

205– a. Le petit Thomas L. a été appelé — **b.** La voiture accidentée a été enlevée — **c.** Le projet d'urbanisme a été accepté — **d.** La porte principale... a été fracturée — **e.** Beaucoup d'argent a été dépensé — **f.** Les intéressés ont été prévenus par téléphone — **g.** L'adresse de Léopoldine a été donnée à Paul — **h.** Les billets pour Nice ont été achetés — **i.** Les voyageurs ont été invités à se présenter — **j.** Beaucoup de temps a été perdu.

206– a. Non, le réfrigérateur n'a pas été vidé — **b.** Oui, les passeports ont été vérifiés — **c.** Oui, les radiateurs ont été fermés — **d.** Non, le chat n'a pas été enfermé dans la cuisine — **e.** Non, les portes n'ont pas été verrouillées — **f.** Oui le robinet... a été vérifié — **g.** Non, le petit sac... n'a pas été mis dans la voiture — **h.** Oui, l'adresse des Pello a été notée — **i.** Non, les Pello n'ont pas été prévenus de notre arrivée — **j.** Oui, nous sommes attendus pour dîner

207– a. En septembre dernier, Jacqueline a été nommée secrétaire de direction — **b.** Aujourd'hui, le président de la République est invité à *7 sur 7* — **c.** À Noël dernier, les enfants ont été gâtés par la famille — **d.** Il y a quelques jours, mon voisin a été engagé comme stewart — **e.** Dans quelques mois, les meilleurs films seront récompensés au festival de Cannes — **f.** Depuis quinze jour, le téléphone de Dominique est coupé — **g.** Ce soir, j'ai été / je suis confronté à un grave problème — **h.** Dimanche prochain, l'équipe de Marseille sera opposée à Paris-Saint-Germain — **i.** Le 1er mai, le courrier n'est pas distribué — **j.** En mars prochain, Cécile sera envoyée en mission au Maroc

208– a. On a auditionné cette jeune actrice — **b.** On déposera les plaintes au bureau — **c.** On prévoyait des embouteillages à partir — **d.** On annule le pique-nique — **e.** On a envoyé cette lettre — **f.** On doit rapporter les dossiers — **g.** On augmentera les tarifs d'assurance — **h.** On avait enregistré une hausse du chômage — **i.** On fermera la banque — **j.** On a versé les primes

209– a. d' — **b.** par — **c.** par — **d.** par — **e.** par — **f.** de — **g.** des — **h.** d' — **i.** d' / par — **j.** du

210– a. 1/6/7/9/10 — **b.** 1/4/5 — **c.** 1/6/7/9/10 — **d.** 8 — **e.** 6/7/10 — **f.** 1 — **g.** 6/7/9/10 — **h.** 1/4/5/9/10 — **i.** 2 — **j.** 3

211– Bilan : La voiture a été arrêtée par la femme — Le contact a été coupé — La nuit chaude était emplie à nouveau de bruissements — La portière a été ouverte — La séquence doit être recommencée — Tu n'as pas été invitée à une soirée — Tu n'es pressée par rien — Tu es attendue par un homme — La voiture a été garée — Cette scène est rejouée — Jean n'est toujours pas satisfait par le résultat — Ce métier n'aurait jamais dû être choisi par elle

XI. L'hypothèse et la condition

212– a. comme si — **b.** dans ce cas — **c.** supposer qu' — **d.** au cas où — **e.** il est possible que — **f.** tu répondrais (conditionnel) — **g.** peut-être — **h.** à ce compte là — **i.** en cas de — **j.** au cas où

213– a. 2/7 — **b.** 8 — **c.** 2/7 — **d.** 3 — **e.** 5 — **f.** 6/8 — **g.** 1/10 — **h.** 3/9 — **i.** 1 — **j.** 4

214– Réponses possibles : a. À ce compte-là, je m'achèterai une grande maison — **b.** Dans ce cas, je resterai chez moi — **c.** Dans ces conditions, je prendrai un taxi — **d.** Si je découvre un trésor, il se peut que je le garde pour moi — **e.** Au cas où je pars seul(e) en vacances, j'irai dans un village en Provence — **f.** Si j'entends un bruit suspect la nuit, je suppose que j'allumerai la lumière — **g.** Je suppose que je resterais au fond de mon lit — **h.** Si je suis témoin d'une agression dans le métro, je n'oserai peut-être pas intervenir — **i.** Dans l'hypothèse où je me retrouve seul(e) dans une ville inconnue, je commencerai par chercher un hôtel — **j.** Si je n'ai pas envie de rester chez moi, il est possible que j'aille au cinéma

215– a. ça ne vous dérangerait pas — **b.** elle trouvera — **c.** vous pouvez — **d.** il a peut-être oublié — **e.** il pleuvrait — **f.** nous voyagerons — **g.** ils se connaissaient — **h.** je n'apporterai pas — **i.** (il) prenne — **j.** je serais

216– a. H — **b.** C — **c.** H — **d.** C — **e.** H — **f.** H — **g.** H — **h.** C — **i.** H — **j.** C

217– a. si — **b.** du moment qu' — **c.** en mangeant moins de sucre — **d.** avec un lave-vaisselle — **e.** si / à condition qu' — **f.** à condition qu' —

g. sans les contraintes familiales — **h.** si — **i.** à la seule condition que — **j.** à cette seule condition

218– a. en ne parlant pas — **b.** pourvu qu' — **c.** à condition que — **d.** à condition qu' — **e.** sans — **f.** du moment que — **g.** avec — **h.** si — **i.** sans / si — **j.** pourvu que

219– Réponses possibles : a. nous obtenions des places — **b.** le cours est intéressant — **c.** un grand écran — **d.** vous l'y conduisiez — **e.** ne pas être trop fatigués — **f.** travaillant régulièrement — **g.** les conseils de son professeur principal — **h.** les gouvernements s'accordent / les mentalités changent — **i.** qu'ils savent où vous êtes — **j.** prévenir le directeur

220– Bilan : Paris était — il sentirait — il porterait — il fallait — il rentrerait — on devait — la tour Eiffel éclairerait — la pyramide renverrait — je répondrais — je devais — ce serait

XII. La cause

221– b. 1 (B) — **c.** 3/6 (C) — **d.** 2 (B) — **e.** 8/9 (B) — **f.** 8 (B) — **g.** 4/5 (B) — **h.** 4 (B) — **i.** 7 (C) — **j.** 10 (B) —

222– Réponses possibles : a. Parce que vous avez besoin de savoir — **b.** Parce que vous êtes un sportif dans l'âme — **c.** Pour déguster sans grossir — **d.** Pour garder un teint de rose — **e.** Parce que c'est partout en France — **f.** Parce que c'est facile — **g.** Parce que vous aimez votre patrimoine — **h.** Pour l'apprécier — **i.** Pour être plus rapide — **j.** Parce que vous adorez Eric Rohmer

223– a. De peur qu' — **b.** Comme — **c.** C'est en lisant *Elle* que — **d.** Pour avoir — **e.** Étant donné — **f.** Sous l'impulsion de — **g.** a provoqué — **h.** de peur que — **i.** puisque — **j.** de peur qu'

224– Questions possibles : a. Pourquoi mets-tu tes lunettes ? — **b.** Pourquoi partez-vous à bicyclette ? — **c.** Pourquoi va-t-il au casino ? — **d.** Pour quelle raison ne prenez-vous rien ? — **e.** Pourquoi partez-vous toujours en Bretagne ? — **f.** Pour quelle raison prépares-tu un repas si compliqué ? — **g.** Pourquoi partez-vous si tôt ? — **h.** Pour quelle raison renouvelle-t-elle son passeport ? — **i.** Pourquoi t'intéresses-tu tellement à elle ? — **j.** Pourquoi mangez-vous si souvent au restaurant ?

225– a. du — **b.** par — **c.** de — **d.** Ø — **e.** par — **f.** par — **g.** de — **h.** Ø — **i.** de — **j.** à

226– Réponses possibles : a. de peur d'être brûlée — **b.** de crainte de faire la queue — **c.** de peur d'être cambriolé — **d.** de crainte d'être reconnue — **e.** de crainte d'être réveillé — **f.** de crainte de grossir — **g.** de peur d'être grondés — **h.** de peur d'être atteinte du cancer — **i.** de peur d'être licencié — **j.** de crainte d'attraper froid

227– a. 2 — **b.** 5 — **c.** 3 — **d.** 8 — **e.** 1 — **f.** 6 — **g.** 4 — **h.** 7 — **i.** 6/10 — **j.** 9

228– a. On n'avait rien de spécial à faire — **b.** Comme ils le leur avaient conseillé — **c.** Les magasins sont fermés — **d.** Vous refusez de m'accompagner — **e.** Car il est inquiet à son sujet — **f.** Comme Pauline voudrait faire sciences politiques — **g.** Puisqu'elle a toujours été proche de la nature — **h.** Comme Joseph a le mal de mer — **i.** Ils sont très intolérants — **j.** Puisque tu veux faire des progrès en anglais

229– a. de crainte qu' — **d.** ce n'est pas qu' — **f.** de peur qu' — **i.** ce n'est pas qu'

230– a. de crainte / peur de — **b.** de crainte / peur qu' — **c.** de crainte / peur d' — **d.** de crainte / peur qu' — **e.** de peur / crainte de — **f.** de peur / crainte de — **g.** de crainte / peur qu' — **h.** de crainte / peur que — **i.** de crainte / peur qu' — **j.** de peur / crainte de

231– a. en faisant des repas légers — **b.** en mangeant plus équilibré — **c.** en fumant moins — **d.** en faisant 5 minutes — **e.** en baissant la température — **f.** en consommant plus de — **g.** en buvant beaucoup d'eau — **h.** en ayant une vie réglée — **i.** en ne sautant plus de repas — **j.** en ne prenant plus de bains chauds

232– Bilan : à cause de — de peur que — comme — sous prétexte que — ce n'est pas que — sous prétexte que — pour

XIII. Le but

233– **a.** afin de — **b.** de peur qu' — **c.** pour que — **d.** de manière à — **e.** afin qu' — **f.** pour — **g.** de façon à ce que — **h.** en vue de — **i.** avoir pour but de — **j.** pour

234– Réponses possibles : a. Pour payer moins cher vos communications, téléphonez — **b.** Pour trouver un appartement, regardez — **c.** Pour préparer plus vite vos repas, utilisez — **d.** Pour vous déplacer rapidement, prenez — **e.** Pour connaître l'actualité, achetez — **f.** Pour garantir vos vacances, souscrivez — **g.** Pour mieux consommer, comparez — **h.** Pour gagner du temps, ayez — **i.** Pour avoir un souvenir inoubliable, mariez-vous — **j.** Pour écouter de la bonne musique, allez

235– Phrases possibles : a. Ta mère insiste pour que nous partions — **b.** Tu m'avertis pour qu'on ne s'inquiète pas, c'est gentil — **c.** Il nous invite au restaurant pour qu'on ne fasse pas la cuisine — **d.** Je téléphone au plombier pour qu'il répare la douche — **e.** Il m'aide pour que je termine plus tôt — **f.** Je fais un plan pour que vous ne vous perdiez pas — **g.** Mon père nous prête de l'argent pour que nous achetions une voiture — **h.** Tu écris cet article pour qu'on connaisse une autre — **i.** Ce magasin propose une grande quantité de produits pour que ses clients choisissent mieux — **j.** Je vous préviens pour que vous n'ayez pas de problèmes

236– a. Je leur ai téléphoné pour qu'ils ne viennent pas — **b.** Il a prescrit un arrêt... pour qu'elle se repose — **c.** Ils font des travaux pour agrandir — **d.** Elle prend le métro pour se déplacer — **e.** Il nous fait un prix pour que nous achetions — **f.** Tu lui racontes une histoire pour qu'elle s'endorme — **g.** Ils se sont déplacés pour vous interroger — **h.** J'ai acheté du beaujolais pour que vous y goûtiez — **i.** Elle est venue pour me demander — **j.** Ils nous invitent pour fêter

237– a. 5 — **b.** 4 — **c.** 1 — **d.** 2 — **e.** 3 — **f.** 8 — **g.** 9 — **h.** 6 — **i.** 10 — **j.** 7

238– a. afin qu' — **b.** afin d' — **c.** de manière à ce que — **d.** de manière à — **e.** de peur d' — **f.** de peur qu' — **g.** de façon à — **h.** de façon à ce qu' — **i.** de crainte qu' — **j.** de crainte de

239– a. (il) fait en sorte d' — **b.** en vue de — **c.** afin que — **d.** de façon à — **e.** a pour finalité de — **f.** de sorte que — **g.** à seule fin de — **h.** a pour but — **i.** pour — **j.** de manière à ce qu'

240– a. habiter — **b.** qu'on ne les dérange pas — **c.** que nous partions — **d.** réussir — **e.** qu'ils fassent — **f.** d'avoir — **g.** vous vous disputiez — **h.** sortir — **i.** tu ne saches rien — **j.** perdre

241– Phrases possibles : a. nous ayons le temps de discuter avant le film — **b.** comparez les prix — **c.** qu'il ne soit pas obligé de prendre l'avion — **d.** tous ses invités soient bien placés à table — **e.** utilisez le sucre de canne — **f.** promouvoir la culture populaire — **g.** faire connaître leurs projets — **h.** les bâtiments soient surveillés — **i.** vous réussissiez dans vos démarches — **j.** nous préférons voyager en train

242– Phrases possibles : a. Mon frère diminue sa consommation d'alcool par peur d'une maladie du foie — **b.** Je conduis moins vite pour que vous n'ayez pas peur — **c.** Elle porte des lunettes pour mieux lire de près — **d.** Il perd du poids pour que sa femme le trouve plus attirant — **e.** Jean fait du sport pour que nous ayons tous les deux le même niveau — **f.** Sophie mange léger pour rester mince — **g.** Vous allez chez le dentiste pour garder de bonnes dents — **h.** Il prend de l'aspirine pour que nous pensions qu'il est malade — **i.** Vous demandez conseil à votre pharmacien pour qu'il vous donne un médicament contre la toux — **j.** Je consulte un médecin pour qu'il me soigne

243– Bilan : 1. de manière à — **2.** puisse — **3.** pour — **4.** afin que — **5.** de façon à — **6.** soit — **7.** de crainte de — **8.** consacrer — **9.** afin de — **10.** obtenir

XIV. L'infinitif

244– Phrases possibles : a. c'est s'évader — **b.** c'est aussi apprendre — **c.** c'est se faire plaisir — **d.** c'est ne pas aimer — **e.** c'est perdre son temps — **f.** que se venger — **g.** que mentir — **h.** qu'arriver trop tard — **i.** que s'inquiéter — **j.** que ne pas bouger

245– a. 3/6 — **b.** 1/4 — **c.** 1/2/4/8 — **d.** 1 — **e.** 7 — **f.** 1/4/5/10 — **g.** 1/4/9 — **h.** 1/4/10 — **i.** 1/4/8/10 — **j.** 6

246– a. Elle préfère prendre le métro — **b.** Ils viennent dîner avec nous — **c.** Vous allez bientôt partir ? — **d.** Il aime faire la cuisine ? — **e.** Veuillez vous asseoir — **f.** Nous espérons déménager — **g.** Tu as fait réparer — **h.** Vous pouvez éteindre — **i.** Elle sortira acheter — **j.** Vous devez comprendre

247– Phrases possibles : a. par téléphoner au médecin — **b.** à visiter les catacombes — **c.** à vos parents ? — **d.** sans nous réveiller — **e.** de fermer la porte derrière toi — **f.** de la piscine municipale — **g.** pour avoir une discussion avec vous — **h.** de déposer les bagages à la consigne — **i.** à sa maitresse — **j.** de prendre des vacances

248– Phrases possibles : a. Les enfants sont en train d'apprendre à nager — **b.** Patricia Kaas vient de sortir un nouveau disque — **c.** Le candidat tient à se représenter aux prochaines élections — **d.** Paul a besoin de prendre quelques jours de repos — **e.** Pourquoi ne prenez-vous pas le temps de déjeuner ? — **f.** Les Français sont habitués à rouler vite — **g.** Le directeur ne renoncera jamais à signer ce contrat — **h.** Te souviens-tu d'avoir dormi dans cet hôtel ? — **i.** Ce service n'est pas facile à diriger — **j.** Je suis fatigué d'entendre ces propos

249– a. Ne pas faire — **b.** Éteindre les lumières — **c.** Entrer sans — **d.** Ne pas stationner — **e.** Vous adresser au — **f.** Prendre les rendez-vous — **g.** Ne pas manger — **h.** Bien nettoyer — **i.** Ne pas mettre — **j.** Ne pas marcher

250– faire cuire — hacher — le mélanger — saler et poivrer — faire revenir — passer — ajouter — disposer — finir — saupoudrer — mettre

251– a. être parti — **b.** avoir cru — **c.** avoir ri — **d.** avoir réussi — **e.** avoir menti — **f.** s'être trompé — **g.** avoir bu — **h.** avoir appris — **i.** être intervenu — **j.** avoir prié

252– a. avoir été — **b.** ne pas avoir renoncé — **c.** être parvenu — **d.** avoir gagné — **e.** d'être arrivé — **f.** avoir fait — **g.** ne pas avoir entendu — **h.** être sortis — **i.** avoir suivi — **j.** ne pas avoir pris

253– Phrases possibles : a. Tu croyais avoir éteint — **b.** Ce client affirme avoir attendu — **c.** Sophie espère avoir terminé — **d.** J'aimerais être né — **e.** Vous pensiez avoir oublié — **f.** Tu prétends avoir changé — **g.** Jean dit être rentré — **h.** Pourquoi nies-tu avoir participé à — **i.** Cette nouvelle peut l'avoir surpris — **j.** J'imaginais déjà avoir gagné

254– a. Il faut demander à Sylvie — **b.** Écoute le vent souffler / écoute souffler le vent — **c.** Martine pensait avoir terminé à l'heure — **d.** Qui lui a dit de venir ? — **e.** Elle a accepté de lui parler — **f.** Ce monsieur affirme avoir reçu notre lettre — **g.** Nous devons faire réparer cette table — **h.** Elle doit avoir pris la voiture — **i.** Philippe dit avoir éteint le gaz — **j.** J'ai aperçu Véronique traverser la rue

255– a. (ils) ont aperçu le voleur s'enfuir — **b.** Nous regardons les militaires défiler — **c.** Elle a entendu Mathias rentrer — **d.** Nous pouvons voir l'avion atterrir — **e.** Tu n'entends pas le chien aboyer ? — **f.** (Elle) regardait le soleil se coucher — **g.** (Elle) entend les voisins se disputer — **h.** (Elle) a vu le chat courir — **i.** Il n'a pas senti le gâteau brûler — **j.** Vous n'avez pas vu les enfants jouer

256– a. Ton frère dit être malade — **b.** Ø — **c.** Vous affirmez être innocent — **d.** Ø — **e.** Elle croit chanter juste — **f.** Je ne pense pas venir... — **g.** Tu avoues ne pas l'aimer — **h.** Elle affirme t'avoir vu... — **i.** Ø — **j.** Il pense devoir faire...

257– a. Ils ne s'en plaignent — **b.** Je n'y arrive pas — **c.** Tu en aurais besoin — **d.** Elle s'y habitue... — **e.** Il s'en charge — **f.** Il le faut — **g.** Vous l'affirmez — **h.** Tu y as pensé ? — **i.** Je l'espère — **j.** Ils le regrettent

258– Bilan : prendre — avoir passé — dire — avoir gagné — rouler — apprendre — dormir — rire — avoir été — voir — me souvenir

XV. Participe présent et gérondif

259– a. étant — **b.** disant — **c.** faisant — **d.** ayant — **e.** sachant — **f.** mettant — **g.** finissant — **h.** prenant — **i.** voulant — **j.** allant

260– a. Devant passer à la banque, je sortirai — **b.** Écrivant très mal, mes enfants — **c.** Lisant souvent L'Express, on souhaite — **d.** Faisant de la gymnastique, Nicolas est devenu — **e.** Déménageant la semaine prochaine, nous prendrons — **f.** Adorant le jardinage, elle passe — **g.** Son fils étant malade, elle est — **h.** Ayant une promotion, son mari aura — **i.** Aimant la mer, nous cherchons — **j.** Souhaitant trouver un emploi, tu envoies

261– a. Étant individualistes, les Français apprécient — **b.** Tombant depuis ce matin, la pluie va provoquer — **c.** Arrivant à mon niveau, la voiture — **d.** Appartenant au fermier, ce chien — **e.** N'ayant pas beaucoup d'argent de poche, les adolescents — **f.** Commençant dans un mois, ce stage — **g.** Subissant des modifications importantes, le musée du Louvre — **h.** Se développant considérablement en France, l'enseignement — **i.** Se tenant à Cannes, le festival — **j.** Étant actuellement en travaux, la Grande Bibliothèque

262– a. L'eau douce venant à manquer, des cargos approvisionnent — **b.** La grève de la SNCF étant prévue pour le 3 avril, il n'y aura pas — **c.** Les enfants partant en vacances, nous acceptons — **d.** Pierre travaillant samedi prochain, il ne nous accompagnera pas — **e.** L'école fermant le 6 juillet, nous partirons — **f.** La séance se terminant à 11 heures, ils rentreront — **g.** Ne comprenant pas la raison de votre silence, je vous écris — **h.** Cherchant un studio pour la rentrée, nous faisons appel — **i.** M'intéressant à votre projet, je souhaiterais y — **j.** Passant près de chez nous cet été, venez nous voir

263– a. en attendant — **b.** Ø — **c.** en suivant — **d.** Ø — **e.** en jouant — **f.** Ø — **g.** en mangeant — **h.** en se connaissant — **i.** en voyant — **j.** Ø

264– a. en te dépêchant — **b.** en écoutant — **c.** en faisant — **d.** en bavardant — **e.** en sachant — **f.** en vivant — **g.** en prenant — **h.** en cherchant — **i.** en lisant — **j.** en finissant

265– a. Il s'est tordu la cheville en jouant — **b.** En rangeant le buffet, ils ont — **c.** Avez-vous visité Quiberon en allant à Belle-Île ? — **d.** Il a eu une panne de voiture en allant les retrouver — **e.** En se promenant dans la forêt, elle a aperçu — **f.** Il a gagné 500 F en jouant — **g.** Nous avons rencontré Alice en faisant — **h.** Ils crient très fort en jouant — **i.** Lorsqu'elle est émue, elle rit en pleurant — **j.** Elle tremblait en attendant

266– a. J'ai appris la nouvelle en écoutant la radio — **b.** Nous avons obtenu ce délai en négociant — **c.** Il a gagné une coupe en nageant — **d.** En marchant très vite, on arrivera — **e.** En ne lisant pas la presse, vous n'êtes pas — **f.** En menant une vie saine, vous vous sentez — **g.** Elle a rencontré beaucoup d'amis en participant — **h.** Tu es moins stressé que moi en habitant — **i.** En buvant moins de café, on dort — **j.** Elle s'est décidée en voyant

267– a. Vous vous occuperiez mieux de vos enfants en ayant davantage — **b.** En ayant de la chance, tu retrouveras — **c.** En étant plus attentives, on comprendrait — **d.** Vous arriverez à l'heure en prenant le métro — **e.** En se coiffant autrement, elle paraîtrait — **f.** Il jouerait mieux au tennis en tenant sa raquette — **g.** En portant des lunettes, vous auriez moins — **h.** En rentrant tôt, nous pourrons — **i.** En sachant mieux nager, on ferait — **j.** Vous aurez des places dans le T.G.V. en faisant vos réservations

268– Phrases possibles : a. en écoutant un morceau de Vivaldi — **b.** en réfléchissant à ce qu'il est important de prendre — **c.** en jetant ce qui est inutile — **d.** en harmonisant les couleurs de ses vêtements — **e.** en prenant un café — **f.** en surveillant les enfants — **g.** en lançant des cailloux dans la rivière — **h.** en discutant avec votre passager — **i.** en regardant passer les gens dans la rue — **j.** en pensant à vous

269– a. En t'attendant, j'ai feuilleté des revues — **b.** (impossible) — **c.** Il a fait d'énormes progrès en français en passant une année au pair à Bordeaux — **d.** Elle a rencontré des personnes très intéressantes en faisant son stage en entreprise — **e.** (impossible) — **f.** On a découvert la vérité en discutant avec lui — **g.** Jacques est tombé du cerisier en installant un épouvantail — **h.** (impossible) — **i.** Mon frère lui a fait plaisir en lui écrivant — **j.** ... en exportant de nombreux modèles vers l'étranger

270– Bilan : en vieillissant — mangeant — faisant — en alourdissant — en buvant — en vous brossant — en organisant — faisant — en mangeant — menant — en grignotant

Index

Renvoi aux numéros d'exercices

N° d'éditeur : 10016017 - II - (17) - (OSB - 80) — Dépôt légal : juillet 1993
Imprimé en France par Pollina, 85400 Luçon - n° 16574